Le mythe de la Singularité

Jean-Gabriel Ganascia

Le mythe
de la Singularité

Faut-il craindre
l'intelligence artificielle ?

Éditions du Seuil

ISBN 978-2-7578-7649-7
(ISBN 978-2-02-130999-7, 1re publication)

© Éditions du Seuil, février 2017

« De la vaporisation et de la centralisation du *Moi*.
Tout est là. »

Charles BAUDELAIRE
Mon cœur mis à nu

1

Imminence

Annonces

Le jeudi 1er mai 2014, Stephen Hawking, un physicien et cosmologiste britannique de renom devenu célèbre pour ses travaux sur les trous noirs, l'origine de l'Univers et le temps, lance un cri d'alarme. Dans une tribune publiée par le journal *The Independent* il nous met en garde contre les conséquences irréversibles de l'intelligence artificielle. D'après lui, les technologies se développent à un tel rythme qu'elles deviendront vite incontrôlables au point de mettre l'humanité en péril. Aujourd'hui, il serait encore temps de tout arrêter ; demain, il sera trop tard !

D'autres scientifiques prestigieux partagent son inquiétude. Max Tegmark, professeur de physique théorique au MIT, Stuart Russell, professeur d'intelligence artificielle à l'université de Berkeley[1], et Frank Wilczek, professeur de physique au MIT et Prix Nobel de physique cosignent la tribune. Prenant acte des progrès extraordinaires de l'intelligence artificielle, par exemple de la voiture autonome de Google, du logiciel de reconnaissance de la parole Siri d'Apple, ou de la machine Watson d'IBM qui

l'emporte sur les humains au jeu télévisé *Jeopardy*,
ces quatre chercheurs nous avertissent : les facultés
d'apprentissage automatique des machines alimen-
tées par les quantités d'information colossales que
l'on mentionne sous le vocable de « masses de données » ou, en anglais, de *Big Data*, les rendront bientôt imprévisibles, puisque leur comportement ne
résultera plus du programme que les hommes auront
écrit, mais des connaissances qu'elles construiront
elles-mêmes, par induction automatique à partir
d'informations glanées çà et là dans des bibliothèques virtuelles, dans des entrepôts de données et
dans le monde, au cours de leurs pérégrinations.
Couplée à cette imprédictibilité, leur autonomie
croissante fait qu'elles nous échapperont et prendront un empire de plus en plus grand sur l'homme.
Nous atteindrons alors un point de non-retour au-
delà duquel nous, humains, courrons tous à notre
perte. Il y a urgence à s'en préoccuper. Nous serions
fous de nous en désintéresser !

Sans doute, cette déclaration publique fit-elle
écho au film anglo-américain à grand budget
Transcendence sorti peu avant dans les salles du
Royaume-Uni et qui noue l'intrigue à partir des
supposés travaux de scientifiques parvenant à doter
une machine d'une conscience. Mais elle n'émane
pas d'auteurs de science-fiction et elle a été précé-
dée et suivie de beaucoup d'autres du même acabit,
proférées par d'éminentes personnalités du monde
contemporain. Stephen Hawking réitère ses propos
publics en affirmant en décembre 2014 sur la BBC
que « l'intelligence artificielle pourrait conduire à
l'extinction de la race humaine[2] ». Des hommes

d'affaires illustres aux réussites époustouflantes, des chercheurs reconnus, des ingénieurs brillants et des philosophes appartenant aux institutions les plus prestigieuses au monde lui emboîtent le pas. Elon Musk, le cofondateur des sociétés Paypal, SpaceX, Tesla Motors et SolarCity, s'inquiète publiquement et à plusieurs reprises des risques que l'intelligence artificielle fait courir à l'homme[3]. Pour lui, c'est là que réside le plus grand danger existentiel pour l'humanité[4]. Resté jusque-là silencieux sur ce sujet, Bill Gates, l'homme le plus riche du monde, s'engage à son tour et fait part de son pessimisme le 28 janvier 2015 lors de la conférence AMA[5].

En janvier 2015, une lettre ouverte[6] cosignée par un nombre impressionnant de chercheurs en intelligence artificielle où se côtoient les plus grands noms de la discipline, dont Stuart Russell, invite à réfléchir aux dangers potentiels des ordinateurs. Elle enjoint les spécialistes à ne plus se limiter à l'obtention de performances, du fait des risques encourus, et à considérer le bien-être ultime des hommes et les bénéfices pour l'ensemble de la société. Se manifeste là, chez des scientifiques habituellement silencieux et absents des scènes médiatiques, le signe d'une inquiétude palpable qui porte sur les conséquences potentiellement néfastes de l'intelligence artificielle pour le genre humain. S'ensuivent des recommandations sur des directions de recherche neuves s'attachant à la robustesse, à la vérification et au contrôle des dispositifs autonomes afin qu'ils ne nous échappent pas.

Ces annonces publiques font suite aux travaux de scientifiques, d'instituts de recherche et de *think tanks* sur les risques que feront courir les machines aux hommes dans le futur. À titre d'illustration, mentionnons l'Institut sur le futur de l'humanité[7], qui accueille sur son site la lettre ouverte que nous venons de mentionner, l'Institut du futur de la vie[8], financé assez largement par des industriels du secteur des technologies de l'information dont le sus-mentionné Elon Musk, l'Institut de recherche sur l'intelligence des machines (MIRI)[9], qui se penche sur les avancées extrêmes de l'intelligence artificielle et, en particulier sur la « superintelligence », le Centre pour l'étude du risque existentiel de l'université de Cambridge[10], qui étudie les risques d'extinction de l'espèce humaine, ou encore l'Université de la Singularité[11] qui compte, parmi ses fondateurs, des grands industriels comme Google, Cisco, Nokia, Genentech, Autodesk, l'Institut pour l'éthique et les technologies émergentes[12], l'Institut des extropiens[13] au nom délicieusement évocateur, etc.

Techno-prophètes

Précurseur de ces réflexions, le roboticien Hans Moravec affirme, dans deux livres, *Mind Children : The Future of Robot and Human Intelligence*[14] (Les enfants de l'esprit : le futur de l'intelligence du robot et de l'homme) publié en 1988, et *Robot : Mere Machines to Transcendent Mind*[15] (Robot : simples machines à l'esprit transcendant), paru en 1998, que les évolutions de la robotique conduiront à une transformation majeure de l'humanité. On peut aussi citer les travaux du cybernéticien Kevin Warwick[16]. Dans son ouvrage *I, Cyborg* qui fait écho au très célèbre *I, Robot* d'Asimov, il prétend depuis plus d'une quinzaine d'années que, pour survivre, l'homme va devenir un « cyborg », autrement dit un « cyber-organisme », c'est-à-dire un mixte de technologie et de biologie. Il se fit connaître du grand public en 1998 lorsqu'il convoqua la presse pour exhiber la puce de silicium encapsulée dans une ampoule de verre[17] qu'il escomptait s'introduire sous la peau[18], transgressant ainsi la frontière du corps pour se transformer progressivement en organisme cybernétique. À l'époque, il promettait d'aller plus loin et de commander des actionneurs à distance en « branchant » des capteurs d'abord à ses nerfs moteurs, puis directement sur son cerveau. Il semble toutefois que le projet ait fait long feu.

Ces deux-là ne sont pas seuls. Il y en a tout un cortège, dont un chercheur belge, Hugo de Garis[19], qui imagine une guerre mondiale et fratricide où les « cosmits », partisans des « artilects », êtres prodigieusement intelligents et détenteurs d'une spiritualité neuve réalisée au moyen de l'intelligence artificielle, s'affronteront aux « terrans » qui veulent à tout prix conserver à l'homme sa suprématie. On citera aussi Bill Joy, le cofondateur de la firme Sun-Microsystem, qui publia en 2000 un article retentissant intitulé « Why the future doesn't need us[20] » (Pourquoi le futur n'a pas besoin de nous) où il imagina des nanotechnologies proliférant tels des virus, jusqu'à détruire l'environnement terrestre et rendre toute forme de vie impossible.

Le plus célèbre à ce jour est sans conteste Raymond Kurzweil. Ce génie précoce se fait connaître dès l'âge de quinze ans, en 1963, pour avoir réalisé un programme informatique de synthèse de partitions musicales qu'il interprète lui-même au piano devant les caméras de la télévision[21]. Il poursuit ensuite des études d'ingénieur au très prestigieux MIT avant de se spécialiser dans la reconnaissance optique des caractères, ce qui lui vaut un nombre incalculable de distinctions dont la médaille nationale de la technologie et de l'innovation[22] remise, en 1999, par le Président Bill Clinton en personne. Par la suite, il fonde plusieurs sociétés privées et devient, à partir de 2012, chef de projet chez Google. Outre ses activités d'ingénieur, il annonce avec ferveur depuis de nombreuses années les conséquences selon lui inéluctables du perfectionnement des technologies numériques, en particulier de l'intelligence artificielle, dans ses nombreux ouvrages aux titres évocateurs : *How to Create a Mind* ; *The Age of Spiritual Machines : When Computers Exceed Human Intelligence* ; *Transcend : Nine Steps to Living Well Forever* ; *The Singularity Is Near : When Humans Transcend Biology* ; *Virtually Human : The Promise – and the Peril – of Digital Immortality* ; *Fantastic Voyage : Live Long Enough to Live Forever*, etc.[23] Selon Kurzweil, nous téléchargerons très bientôt notre conscience sur des machines, ce qui nous procurera une forme d'immortalité. Cela résultera fatalement de l'accélération des progrès. En effet, d'après lui, la loi générale à laquelle obéit toute forme d'évolution, qu'il s'agisse du développement biologique, du perfectionnement des civilisations ou de l'amélioration des technologies, est de nature intrinsèquement exponentielle. Il s'ensuivra nécessairement une transformation aussi brutale que salutaire qui se produira à un horizon prévisible situé, en référence à ses calculs savants, en l'an 2050, voire peut-être un peu plus tôt, en 2045. À l'issue de cet événement fatidique, l'humanité sera condamnée, pour survivre, à s'hybrider à la technologie pour parvenir à une sorte de « métensomatose », à savoir à un « passage » (méta-) d'un « corps » (soma), en l'occurrence notre « gangue » biologique, « dans » (en-) un autre, l'ordinateur. Cependant, alors que dans les théories classiques de la transmigration la métensomatose désignait chaque réincarnation au cours d'existences successives puis l'arrivée dans le séjour des âmes, cela signifie ici le passage de la conscience vers le monde numérique après la mort biologique du cerveau. En contrepartie de cette hybridation à la technologie, la conscience, une fois numérisée, acquerra longévité et, qui sait, immortalité…

À côté des scientifiques et des ingénieurs, les philosophes ne demeurent pas en reste. À titre d'exemple, Nick Bostrom, physicien de formation, puis spécialiste de neurosciences computationnelles et maintenant professeur de philosophie dans la très ancienne et très vénérable université d'Oxford, prophétise dans ses nombreux écrits, en particulier dans son best-seller au titre évocateur, *Superintelligence : Paths, Dangers, Strategies*[24]. Il anticipe les conséquences des transformations technologiques que nous vivons. Il les prédit avec un grand luxe de détails au sein de différentes institutions qu'il a créées, en particulier au sein de l'Association transhumaniste mondiale[25] (devenue ensuite Humanity+[26]) qu'il a fondée avec un autre philosophe, David Pearce, et de l'Institut sur le futur de l'humanité déjà mentionné qu'il dirige, toujours avec David Pearce, à l'université d'Oxford. En partant de l'observation des progrès des sciences et des technologies, il affirme qu'une autre forme d'humanité, la transhumanité, adviendra très bientôt et qu'elle se présentera comme une humanité supérieure parce que dotée de pouvoirs nouveaux qui l'autoriseront à aller au-delà de ses limitations actuelles.

Sans doute, ces personnalités ne s'accordent-elles pas en tous points. La variété des instituts, des associations ou des universités auxquels elles sont associées en atteste. Certains, comme Raymond Kurzweil ou, en France, Laurent Alexandre[27], s'enthousiasment en songeant aux possibilités de recul de la mort, voire à un éventuel accès à l'immortalité que les technologies nous permettraient à court terme. Quelques-uns, comme Bill Joy ou Stephen Hawking, s'inquiètent des transformations, voire des possibles destructions qui risquent de mettre en péril le monde que nous connaissons. D'autres, assurés de l'inéluctabilité des bouleversements à venir, cherchent à en infléchir le mouvement, pour rendre cet avenir vivable, voire « amical » (*friendly*). C'est ainsi que Nick Bostrom propose, au sein de l'Institut pour l'éthique et les technologies émergentes qu'il a aussi contribué à créer[12] en 2004, de promouvoir des idées sur la façon dont les technologies accroîtraient la liberté, le bonheur et l'épanouissement humain dans les sociétés démocratiques. Parmi ces idées, on notera la sélection[28] des embryons dans la fécondation *in vitro*. Cette forme moderne d'eugénisme qualifiée de positive, parce qu'elle améliore la race humaine sans porter atteinte à des individus vivants, serait vue comme un moyen inoffensif, indolore et imparable d'amplifier l'intelligence et en conséquence le bonheur des hommes dans des proportions considérables.

Le grand tournant

En dépit de leurs diversités, ces conceptions reposent toutes sur l'anticipation d'un événement brutal, imminent, majeur et pourtant inéluctable qui va, paraît-il, bouleverser le mode d'existence de l'homme du fait du développement incontrôlable des technologies contemporaines, en particulier des technologies de l'information et de l'intelligence artificielle, mais pas uniquement, car la biologie et les nanotechnologies concourent aussi à cette évolution catastrophique en se couplant aux sciences et technologies de l'information. Cette anticipation s'affirme avec une force telle que nombre de scientifiques avertis pensent déjà que l'intelligence artificielle peut tout, le meilleur comme le pire, et qu'en conséquence, il faut prendre rapidement la mesure des risques que nous encourons et freiner, voire dévier le cours du progrès. C'est là le sens de la lettre ouverte mentionnée plus haut et signée en janvier 2015 par un nombre impressionnant de chercheurs reconnus. Certains argueront que, si cette évolution était inévitable, il serait de toutes les façons déjà trop tard et qu'il n'y aurait rien à faire. D'autres, moins pessimistes, répondront que nous devons au moins savoir, que c'est le rôle des scientifiques que d'aider à comprendre et, si possible, à agir en contribuant à

mobiliser tous les efforts pour modifier le cours
de ces évolutions et bâtir un monde plus conforme à
nos aspirations.

Même si les conséquences annoncées du grand
tournant technologique de l'humanité apparaissent
tout à la fois surprenantes et déplaisantes, voire
choquantes pour certains, en ce qu'elles récusent
l'idée d'homme que l'on aurait souhaité conserver
par-dessus tout et plus encore la liberté humaine à
laquelle beaucoup restent attachés, on ne peut pas,
vu la légitimité intellectuelle et sociale de leurs
auteurs, les rejeter *a priori*, sans un examen appro-
fondi. C'est la raison pour laquelle nous nous proposons ici d'élucider les fondements sur lesquels
elles prétendent reposer, avant de discuter leurs
significations, leur vraisemblance et leurs implica-
tions éthiques et politiques. Nous nous intéresse-
rons en particulier à l'horizon temporel qui se
dessine derrière ces promesses, à ses paradoxes et
aux étranges perspectives qu'il ouvre.

2

La Singularité technologique

Le scénario originaire

Le cataclysme ne sera causé ni par la collision de la Terre avec un astre mystérieux, ni par un bouleversement climatique, ni même par la pollution atmosphérique, les pluies acides, le trou d'ozone ou l'effet de serre. Il n'y aura pas non plus de guerre atomique qui mettra brutalement fin à la suprématie des États et fera disparaître les civilisations humaines. Cela adviendra presque naturellement, par une propagation spontanée, prolifique et irrépressible des machines qui s'autoengendreront, croîtront et multiplieront sans crier gare, avant de nous engloutir. Ça commencera de façon imperceptible. Au début, nous ne sentirons rien. Tout se passera sans heurt, si ce n'est que nous ne pourrons plus revenir en arrière. Nous ne nous en rendrons pas compte tout de suite. Progressivement, les choses iront s'accélérant. Après, tout s'emballera ; le monde changera ; l'homme aussi ; plus rien ne sera comme avant, ni la nature, ni la vie, ni la conscience, ni même le temps.

Cet événement inéluctable a déjà un nom : la Singularité technologique. C'est en référence à lui qu'on fait tant d'annonces inquiètes. Avant d'en examiner les risques et les conséquences, rappelons-en les sources.

Le scénario originaire vient de la science-fiction. Vernor Vinge l'a popularisé dans ses romans, au cours des années 1980, avant de le théoriser dans un essai intitulé « The coming technological singularity[29] » (La singularité technologique à venir) paru en 1993. Selon lui, à un terme de moins de trente ans, les progrès des technologies de l'information doteront des entités artificielles d'une intelligence surhumaine. Le statut de l'homme dans la nature s'en trouvera bouleversé ; son rang en sera changé ; son autonomie aussi. Ses connexions aux machines l'aideront à augmenter considérablement son intelligence, ses facultés cognitives (raisonnement, mémoire, perception, etc.) et sa vie. Il deviendra alors un hybride de vivant et de technologie, un organisme cybernétique, autrement dit un *cyborg*. Cela tiendra à l'accélération inouïe des progrès des technologies qui modifieront rapidement, du fait de leur amplification brusque, incontrôlable et irréversible, le régime de production des connaissances jusqu'à un stade difficile à appréhender pour l'entendement humain. L'essai écrit en 1993 plaçait cet événement d'ici à 2023.

Vernor Vinge ne fut pas le premier à imaginer une autonomisation de la technologie qui, s'affranchissant de la tutelle humaine, se déploierait d'elle-même, au-delà de toute limite assignable. En 1962, dans une conférence intitulée « Speculations concerning the first ultraintelligent machine[30] » (Spéculations sur les premières machines ultra-intelligentes), un célèbre statisticien britannique qui avait travaillé avec Alan Turing pendant la Seconde Guerre mondiale, Irvin John Good, discutait déjà de la possibilité d'une « explosion de l'intelligence » consécutive au développement de machines « ultra-intelligentes » capables de se reproduire, de se perfectionner et de devenir plus intelligentes à chaque génération.

Certains évoquent aussi le mathématicien polonais Stanislaw Ulam qui, dès les années 1950, aurait émis l'idée qu'une singularité mathématique, c'est-à-dire une turbulence, pourrait advenir en raison de l'accélération rapide des progrès de la technologie. Le célèbre Isaac Asimov lui aurait emboîté le pas avec une nouvelle intitulée « The last question » (La dernière question), parue en 1956[31] et considérée comme l'une des meilleures qu'il ait écrites. Il y évoque un ordinateur à la dimension de l'Univers qui parviendrait à renverser la seconde loi de la thermodynamique en faisant décroître l'entropie...

Singularité mathématique

En mathématique, une singularité correspond à un objet, un point, une valeur ou un cas particulier mal défini et qui, en cela, apparaît critique. Ainsi, la fonction $y = 1/x$ présente, au voisinage de 0, une singularité, car plus on se rapproche de 0 moins il est possible de déterminer la valeur de y. Soulignons toutefois qu'une singularité mathématique ne correspond pas nécessairement à une discontinuité ; ainsi, en va-t-il de $y = |x|^{1/2}$ et plus généralement des points de rebroussement, des plis, des fronces ou des queues d'aronde qui font l'objet de la théorie des catastrophes de René Thom, une branche particulière de la théorie mathématique des singularités (voir p. 30). De même, en

physique, une singularité correspond à un changement brusque de comportement, comme cela se produit lors d'une transition de phase, par exemple d'une
liquéfaction ou d'une évaporation.

Vernor Vinge adopte la paternité de John von
Neumann qui aurait usé du terme « singularité »,
entendu au sens mathématique, pour décrire la transition de phase à laquelle l'évolution de la technologie pourrait éventuellement conduire du fait du
rythme exponentiel de la progression des performances. Toutefois, John von Neumann ne mentionne pas l'accès à une intelligence « surhumaine »,
ce qui correspond, selon Vernor Vinge, à l'essence
même de la Singularité technologique écrite ici avec
une majuscule. Toujours selon Vinge, après cette
discontinuité radicale, nous entrerons dans une nouvelle ère dite « post-Singularité ». L'époque humaine
touchera alors à sa fin et cédera la place à la suprématie des posthumains où seuls d'entre les hommes
subsisteront ceux qui se muniront de machines.

Rappelons que Vernor Vinge reçut initialement
une formation scientifique et qu'en parallèle à sa car-
rière d'écrivain de science-fiction il fut professeur de
mathématiques et d'informatique à l'université de
San Diego en Californie. Ses premières nouvelles, au
milieu des années 1960, explorent les limites de
l'intelligence augmentée artificiellement. Très vite, il
imagine que la croissance en flèche de la puissance
de calcul se traduira par une amplification spectacu-
laire des capacités des machines, ce qui conduira à
une autoamélioration sans limites de leurs facultés.

Et, puisque ce perfectionnement des ordinateurs n'admet pas de terme, il arrivera un moment où leur intelligence atteindra un point que l'entendement humain ne sera plus en mesure d'appréhender. Cela repose non seulement sur l'intuition de John von Neumann, mais aussi sur la loi de Moore (voir figure p. 24) selon laquelle les performances des machines s'accroissent de façon exponentielle. Rappelons que cette loi émise en 1965 par Gordon Moore, l'un des fondateurs de la société Intel, partait du constat selon lequel le nombre de composants des microprocesseurs doublait tous les dix-huit mois depuis 1959. À partir de ce moment-là et jusqu'à aujourd'hui, on observe que les capacités de stockage d'information et la vitesse de calcul des processeurs croissent toujours sur un rythme à peu près exponentiel, et donc que la loi se vérifie plus ou moins, avec un doublement tous les deux ans. Mais, divers signes avant-coureurs annoncent que cet accroissement est en passe de se tasser et que la loi de Moore va rapidement perdre sa validité[32].

Cette loi d'observation sert de justification à beaucoup d'affirmations sur la Singularité technologique. Notons enfin que, malgré sa formation de mathématicien et d'informaticien et ses références à la loi de Moore, les premières hypothèses de Vernor Vinge sur la Singularité technologique, pendant les années 1980, ne prétendaient pas être scientifiques.

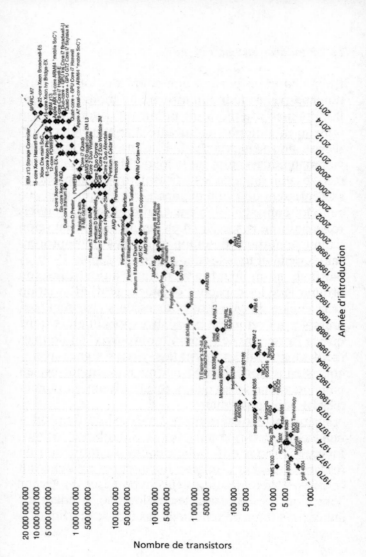

Nombre de transistors

Année d'introduction

La « loi de Moore » affirme que la puissance des ordinateurs, calculée selon le nombre de transistors par microprocesseur, double environ tous les deux ans. Les données (points du graphique) suivent effectivement assez bien cette formule (ligne droite). Il existe pourtant de bons arguments pour prédire que la loi de Moore pourrait perdre sa validité à court terme. (D'après OurWorldinData.org)

Le renouveau de la Singularité

La science-fiction des années 1950 à 1980 a mentionné à maintes reprises la Singularité. Cependant, même si cette littérature invoquait des lois et des théories émises par des scientifiques pour la justifier, cela relevait de l'ordre de l'imaginaire. Aujourd'hui, des chercheurs, des roboticiens, des ingénieurs, voire des philosophes la reprennent à leur compte et l'alimentent de leurs réflexions. Nous sommes donc passés de la science-fiction à la science.

Ainsi, après Vernor Vinge, des technologues comme Ray Kurzweil[33], Hans Moravec[34], Hugo de Garis[35], Kevin Warwick[36], Bill Joy[37], et quelques philosophes comme Nick Bostrom[38] ou David Pearce, forgèrent des scénarios d'avenir où elle joue un rôle majeur. Il existe, bien évidemment, des différences entre ces auteurs[39] : certains s'inquiètent des nouveaux fléaux consécutifs à l'accélération sans relâche de la puissance de calcul tandis que d'autres proclament avec exaltation et enthousiasme l'extinction de notre vieille humanité et l'émergence d'une espèce régénérée dans un âge neuf.

Dans le meilleur des cas, ce genre nouveau se composera de greffes d'humains sur machines ou d'implants de technologies sur les corps. L'espèce résultante comprendra uniquement des *cyborgs* – cyber-organismes – ainsi que l'annonce régulièrement Kevin Warwick, professeur de cybernétique à l'université de Reading en Grande-Bretagne, qui promet depuis bientôt vingt ans de rabouter des processeurs électroniques sur ses nerfs moteurs, puis directement sur son cerveau, afin d'augmenter ses capacités d'action. Puisque l'humanité s'en trouvera transformée, on parle alors de « transhumanité », et même de *humanity+*[40], comme le propose, avec verve, Nick Bostrom[41] qui y voit un accroissement de nos capacités collectives et, en conséquence, une opportunité exceptionnelle que nous ne devons, sous aucun prétexte, laisser s'échapper.

Nettement moins optimistes, d'autres affirment que des dispositifs technologiques superintelligents acquerront bientôt une conscience grâce à laquelle ils agiront non seulement par eux-mêmes, mais aussi pour eux-mêmes. Dès lors, ils se déploieront, se doteront de moyens puissants, détruiront l'homme et prendront sa suite dans la grande chaîne de l'évolution, constituant ainsi une « posthumanité ». Certains auteurs, prétendument scientifiques, se projettent même dans l'au-delà de l'humain. Ainsi en va-t-il de Hugo de Garis, qui a travaillé dans différentes institutions à travers le monde, en particulier au Japon, et qui estime que l'on va créer dans un avenir proche des artefacts supérieurement intelligents, appelés « artilects », qui se reproduiront, évolueront, s'adapteront à l'environnement extérieur, et supprimeront les privilèges indûment accordés aux humains, avant de nous réduire en esclavage[42].

L'heure de la Singularité

Cela se produira bientôt ; tous en conviennent ; question d'années, sans aucun doute. Mais, combien ? Là-dessus, on s'accorde moins souvent. Bill

Joy[43] mentionne le début du XXIe siècle, sans plus de détail ; Vernor Vinge la prédit pour 2023 ; Ray Kurzweil se veut plus précis et plus rigoureux : il prévoit que cela arrivera un peu plus tard, au plus tôt en 2045, et qu'à ce terme on commencera à télécharger les consciences sur des machines. En référence à cette annonce, le magazine américain *Time* titrait sur la couverture[44] de son édition du 21 février 2011[45] : « 2045, l'année où l'homme devient immortel[46] ». Il existe même une fondation appelée 2045 Strategic Social Initiative[47] et financée par l'entrepreneur russe Dmitry Itskov qui se propose de fabriquer des avatars d'accueil pour les esprits téléchargés. La première étape, en cours de réalisation, consiste à commander ces avatars à l'aide des interfaces cerveau-ordinateur[48] que l'on met au point aujourd'hui dans de nombreux laboratoires de recherche. Il est prévu que le projet se poursuive bien au-delà, avec comme finalité la réalisation d'un corps synthétique véhiculant la conscience et la personnalité.

Outre les divergences de scénarios, la date d'advenue de la Singularité suscite donc des polémiques. Sans que cela mette en cause son principe même, l'évaluation de la durée de « l'avent », c'est-à-dire du temps qui nous sépare du grand événement, fait l'objet de litiges. Ceux-ci tiennent parfois aux principes sur lesquels on se fonde, qui diffèrent d'une théorie à l'autre. Mais ils viennent aussi d'une nécessité de révision : à mesure que le temps passe, on doit reconsidérer les prévisions trop optimistes. En 1993, l'année 2023 laissait un délai de trente ans, ce qui donnait du temps ; en 2010, ce terme approchant, Ray Kurzweil s'offre alors un répit supplémentaire,

à nouveau d'un peu plus d'une trentaine d'années,
ce qui lui évite d'avoir à donner des gages empiriques de ses affirmations. Tout se passe comme au
Moyen Âge, avec l'anticipation de la date de l'Apocalypse. Comme l'explique Reinhart Koselleck[49],
un philosophe de l'histoire qui a beaucoup réfléchi à
la représentation du temps dans la perspective chrétienne de la parousie, la date prédite pour le retour
glorieux du Christ a fluctué. L'horizon d'attente qui
cristallisait les espérances et les craintes des hommes
du Moyen Âge a été constamment retardé, sans que
cela n'invalide les autres prophéties, en particulier
l'évidence de ce retour, parce qu'on considérait
l'évaluation de cette durée comme un point de détail,
certes important, mais d'ordre empirique et factuel,
sans rien de primordial. Ses variations n'entachaient
donc en rien l'essence de l'événement singulier que
l'on attendait. Pour se convaincre de la pertinence de
ce parallèle, il suffit de citer Jürgen Schmidhuber, un
chercheur familier des universités de la Singularité
organisées avec le concours des grandes sociétés de
l'internet, en particulier, avec l'aide de Google :

> Je pense qu'après dix mille ans de civilisation il n'est
> pas possible d'alimenter le pessimisme par un examen
> rétrospectif des prédictions récentes exagérément
> optimistes formulées par quelques spécialistes d'intelli-
> gence artificielle avides et en recherche de finance-
> ments qui se sont montrés précocement enthousiastes
> (dans les années 1960, ils annonçaient déjà dix ans au
> lieu de cent ans pour construire une intelligence artifi-
> cielle)[50].

La singularité de la Singularité

Point commun à toutes ces théories, l'accélération irréfrénée des progrès de la technologie qui conduit inévitablement à des transformations majeures et irréversibles, sur lesquelles nous ne disposons plus d'aucune prise. Invoqué pour décrire l'acmé de cette accélération, le concept de « Singularité » a été emprunté aux mathématiques, en particulier à la « théorie des singularités » et à la « théorie des catastrophes »[51] qui portent toutes deux sur la description des changements soudains, comme les ruptures, les points de rebroussement ou les bifurcations. Il existe de nombreuses applications de ces théories à différentes disciplines, par exemple en optique géométrique pour approcher les caustiques, en mécanique des fluides afin de comprendre cyclones et tourbillons, en thermodynamique pour décrire les changements d'état (liquéfaction, ébullition), ou en géologie pour aborder des formes singulières auxquelles René Thom a donné les noms imagés de vortex, plis, fronces, queues d'aronde, ombilics, vagues, poils, papillons, champignons, etc.

Même si certains, dans les années 1970, tentèrent d'appliquer ces notions aux sciences humaines, en particulier à la linguistique ou à l'épistémologie, elles caractérisent avant tout la géométrie des frontières entre objets, voire entre les objets et le milieu dans lequel ils se trouvent plongés. De plus, elles sont uniquement descriptives ; elles n'expliquent rien.

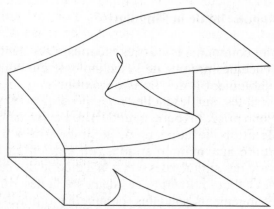

Un exemple de catastrophe : la fronce
La « théorie des catastrophes » de René Thom fournit une classification des
morphologies capables de décrire certains phénomènes critiques. L'une de ces
formes est la « fronce », illustrée par le schéma ?ci-dessus?. Sa projection sur le
plan horizontal fait clairement apparaître une autre catastrophe, le « point de
rebroussement » qui marque la naissance du repliement de la surface.

L'une des illustrations majeures vient de l'astrophy-
sique : on appelle « singularités gravitationnelles » des
zones de l'espace où l'intensité de la gravitation
devient telle que les formules exprimant la structure de
l'espace-temps montrent des singularités mathématiques qui expriment la perte de validité de la théorie en
certains points. C'est par exemple le cas au centre des
« trous noirs », ces régions où la lumière est irrémédiablement piégée et d'où elle ne peut ressortir. Cette
notion apparut longtemps comme une simple chimère.
Avec la théorie de la relativité générale d'Einstein et,
surtout, avec les travaux de Karl Schwarzschild qui
prédit dès 1916 leur existence, les trous noirs acquièrent
une légitimité théorique.

Un navigateur hypergalactique qui voguerait, par mégarde, au voisinage de l'horizon d'un trou noir et y pénétrerait, ne percevrait rien d'anormal au début, mais se trouverait irrémédiablement aspiré vers le point critique que constitue la singularité gravitationnelle et serait irrévocablement condamné.

Il n'est pas anodin ici de rappeler que les travaux de Roger Penrose et de Stephen Hawking conduits dans les années 1960 et 1970 portèrent justement sur l'étude de l'effondrement gravitationnel avec des théorèmes relatifs aux singularités mathématiques[52]. On ne peut s'empêcher de penser que les envolées inquiètes de Stephen Hawking sur les risques consécutifs aux développements contemporains de l'intelligence artificielle font écho aux singularités cosmologiques que contiennent les trous noirs, et que la Singularité technologique en serait comme le pendant. Si tel était le cas, les cris d'alarme poussés ces dernières années renverraient à une situation similaire à celle du navigateur hypergalactique égaré : nous nous trouverions à proximité de l'horizon d'un trou noir technologique…

Cependant, même si la Singularité technologique s'annonce comme une singularité au sens mathématique que nous venons de rappeler, autrement dit comme un point critique, elle se distingue des singularités usuelles que nous avons évoquées en ce qu'elle porte non sur l'espace, comme les trous noirs, mais sur le temps qui baigne nos vies. De ce fait, elle est, par nature, inobservable, sauf à franchir l'horizon, à se trouver soi-même happé et à ne pouvoir lui échapper. L'étrangeté provient de l'application de la notion de singularité à une étendue temporelle : tandis que les singularités géométriques portent sur des espaces à trois dimensions contenant des objets séparés, la Singularité technologique transforme le temps, qui devient lui-même hétérogène. Dans cette éventualité, l'idée de la Singularité plonge l'entendement dans un abîme, car le temps nouveau dans lequel nous nous retrouverions risque de faire échec à nos capacités d'appréhension rationnelle et par conséquent de réduire notre intelligence à l'impuissance. Et, quand bien même nous supposerions que le concept de temps demeure appréhendable pour les périodes situées entre les points de discontinuité, il échappera à notre rationalité sur les singularités, à savoir sur les zones de rupture.

En dépit de ces obscurités, la notion de Singularité technologique est devenue de plus en plus populaire. Des livres, des articles et des revues la présentent au grand public. Il existe aussi des conférences, par exemple l'université de la Singularité qui se tient chaque année depuis 2006 où des scientifiques échangent sur ses conditions de possibilité, sur les changements qu'elle induira, sur ses probables modalités et sur ses éventuels aménagements. Une kyrielle d'instituts et de clubs, plus ou moins fermés, se consacrent à son étude. Enfin, la plupart des grandes entreprises de l'internet encouragent des travaux sur ce sujet. Ainsi, comme nous l'avons déjà mentionné, Google a embauché Ray Kurzweil comme directeur scientifique en décembre 2012 et l'Université de la Singularité a été fondée et financée par une liste impressionnante d'industriels, au rang desquels on trouve la NASA, Google, Nokia, Autodesk, IDEO, LinkedIn, ePlanet Capital, etc.

Bref, depuis plus d'un quart de siècle, de nombreux propagandistes, principalement des ingénieurs, des scientifiques et des philosophes, répandent l'idée que la technologie va inéluctablement changer l'humanité, et ce, de façon irrémédiable. La Singularité technologique au terme de laquelle, selon eux, ce changement adviendra devient monnaie courante dans les médias et dans le monde. Pourtant, malgré l'autorité de ses partisans qui proviennent surtout des universités anglo-américaines les plus prestigieuses, beaucoup dans le grand public demeurent réticents, tandis que d'autres ressentent un profond malaise devant ce qu'ils perçoivent comme une mise en cause des valeurs humanistes traditionnelles.

Les défenseurs de la Singularité soulignent le caractère réactionnaire de ceux qui doutent et leur frilosité ; selon eux, ils se refuseraient à voir la vérité en face et à accepter des idées qui mettent en péril leur confort. Comme les opposants à Galilée au XVIIe siècle, ils ignoreraient ce qui se passe vraiment dans le monde des sciences et des technologies, en particulier dans le secteur des nanotechnologies et de l'intelligence artificielle, soit qu'ils n'aient pas les moyens de savoir, soit qu'ils ne le veuillent pas…

3

Explosions exponentielles

Grains de blé sur échiquier

Selon une légende très ancienne et fort répandue dont, en son temps, l'encyclopédie de Diderot et d'Alembert se fit l'écho[53], le jeu d'échecs aurait été inventé au début du Vᵉ siècle de l'ère chrétienne en Inde par un brahmane nommé Sissa. Souhaitant montrer à son jeune souverain qu'un monarque, aussi talentueux fusse-t-il, ne pouvait rien seul, sans ses soldats, ses cavaliers, sa dame et toute la cour des fous et des tours, Sissa imagina un jeu didactique fait avec quelques pièces de bois se déplaçant sur un petit damier. Séduit, le monarque voulut le remercier avec largesse. Généreux, il lui laissa le choix de sa récompense. Sissa demanda qu'on lui donnât le nombre de grains de blé que produit le nombre de cases de l'échiquier en comptant un seul pour la première, deux pour la seconde, quatre pour la troisième et en doublant ainsi, à chaque changement de case, le nombre de grains jusqu'à atteindre la 64ᵉ. « Quelques grains de blé ! », s'exclama le souverain. Et il accéda à ce qui lui sembla une bien modeste rétribution, jusqu'à ce qu'en faisant les calculs, ses trésoriers constatent que toutes les richesses du royaume n'y suffiraient point… En effet, pour reprendre les termes de l'encyclopédie, « ils trouvèrent que la somme de ces grains de blé devrait s'évaluer à 16 384 villes, dont chacune contiendrait 1 024 greniers, dans chacun desquels il y aurait 174 762 mesures, et dans chaque mesure 32 768 grains ». Cette légende illustre à merveille ce que les mathématiciens appellent parfois une explosion exponentielle et qui tient à une croissance qualifiée de géométrique : à chaque étape k, la quantité u_k est le produit de la quantité u_{k-1} à l'étape précédente par un nombre fixe q appelé la « raison », en sorte que $u_k = q.u_{k-1}$. Lorsque la raison q est strictement supérieure à 1, cet accroissement devient très vite vertigineux !

Transistors sur puce

Avec la loi de Moore, quelles que soient ses formulations, doublement du nombre de transistors d'un circuit électronique à prix constant tous les dix-huit mois ou tous les deux ans, doublement des performances, de la rapidité ou de la capacité de stockage d'information à un rythme équivalent, diminution des coûts dans les mêmes proportions, nous retrouvons toujours une croissance du même type, ce qui, à supposer que cette loi se poursuive à l'identique indéfiniment, ouvre un abîme à la réflexion : qu'adviendra-t-il avec des machines à calculer aussi puissantes ?

Ajoutons, pour accroître notre désarroi, que la réalité technologique confirme cette prédiction depuis plus de cinquante ans maintenant : Gordon Earl Moore l'a émise en 1965 après avoir constaté qu'elle se vérifiait déjà depuis 1959. Ensuite, tant les mémoires vives (RAM) que les disques accrurent considérablement leurs capacités de stockage tandis que leur coût baissait dans les mêmes proportions. De même, les vitesses de calcul doublèrent d'abord tous les deux ans jusqu'en 1980, puis tous les 1,3 an depuis. À titre d'illustration, songeons qu'en 1970, le processeur 4004 d'Intel contenait environ 2 300 transistors, en 1978, soit huit ans plus tard, le 8086 d'Intel en comportait 28 000, c'est-à-dire plus de dix fois plus. Vingt ans plus tard, en 1999, le Pentium III en possédait plusieurs dizaines de millions. Enfin, en 2007, avec le Pentium Dual Core d'Intel, on atteignait plus d'un milliard de composants (voir graphique p. 24)… Nous constatons donc une croissance équivalente à celle du nombre de grains de blé sur les cases de l'échiquier du brahmane Sissa, si ce n'est que le nombre d'années, et donc de périodes, n'est pas limité à 64 !

Parallèlement, le prix du mégaoctet s'est vu divisé par deux tous les deux ans entre 1980 et 1990, puis tous les neuf mois depuis 1996 ! Avec le nuage (ou le *cloud* pour reprendre un anglicisme très en vogue), nous disposons désormais de grandes quantités de stockage quasiment gratuites. Cela ouvre des horizons neufs. L'équivalent en volume d'information des 14 millions d'exemplaires contenus dans le catalogue des livres et imprimés de la Bibliothèque nationale de France, à savoir 14 téraoctets (14 millions de mégaoctets), se stocke sur quelques disques durs, à un prix assez faible. Et, bientôt, nous l'aurons tous gratuitement dans notre poche, ou sur notre poignet, à défaut de l'avoir dans notre tête…

Cette anticipation de la croissance des capacités des machines ne relève pas uniquement de la science-fiction, loin s'en faut. Elle ne sert pas uniquement à une projection sur le futur lointain ; elle aide aussi et surtout à comprendre les évolutions à court terme. Cela a permis de faire des prévisions qui furent extrêmement précieuses pour les économistes et les industriels. En effet, la révolution informatique s'est accompagnée d'une grande déstabilisation : des machines coûteuses se voyaient dépassées en quelques années, voire en quelques mois. Dès lors, il était très difficile, pour les entreprises, de dimensionner leur parc informatique et de programmer leurs achats. La loi de Moore les aidait à réguler efficacement les investissements. Il en allait de même pour les fabricants de machines qui eux aussi planifiaient mieux les évolutions.

La loi de Moore généralisée

Les développements rapides de l'informatique et du numérique dans tous les secteurs de la société tiennent sans aucun doute à la croissance ultrarapide des capacités de calcul des microprocesseurs et à la décroissance des prix qui font que la plupart des objets contemporains – voitures, aspirateurs, téléphones, montres, lunettes, etc. – en intègrent au moins un, voire plusieurs, pour superviser leur fonctionnement, sans que cela renchérisse exagérément leur fabrication. Or, tant cette croissance fulgurante des performances des machines que la diminution corrélative de leur coût obéissent à la loi de Moore. On conçoit dès lors que celle-ci symbolise admirablement l'attitude conquérante de l'informatique et du numérique dans le monde contemporain.

Et cela alimenta l'imagination de romanciers de science-fiction, d'inventeurs prolifiques et de chercheurs en mal de nouveautés qui en profitèrent pour sauter le pas et affirmer haut et fort que la loi de Moore ne se limite pas au champ restreint de la technologie, mais qu'elle relève d'un principe plus général qui régit l'évolution de la culture humaine, de l'homme, de la vie et de la nature depuis les origines. Représentant emblématique de cette tendance, Raymond Kurzweil voit six périodes dans la grande épopée de l'univers[54]. La première commence par le Big Bang, et se poursuit avec la naissance du premier électron, des protons et des atomes puis l'élaboration progressive, au cours de centaines de millions d'années, de la matière organisée. Vient ensuite l'époque de la biologie, avec l'ADN, les cellules, les tissus biologiques et le début de la vie. Dans un troisième temps, adviennent des êtres intelligents dotés de cerveaux de plus en plus perfectionnés, jusqu'à l'homme. Au cours d'une quatrième phase, plus brève, les technologies engendrées par l'homme se perfectionnent dans des proportions et à une vitesse inouïes. Aujourd'hui, nous quittons cette époque pour parvenir à une cinquième période où les technologies initialement conçues par l'homme pour le servir prennent leur autonomie, se déploient d'elles-mêmes et se greffent sur la matière organique pour donner naissance à des cyber-organismes et à une humanité augmentée. Enfin, dans une sixième époque, apothéose de l'esprit, l'Univers se réveille et s'emplit d'une intelligence d'ordre essentiellement technologique dont le règne succède à celui du vivant. Kurzweil affirme, force graphiques[55] à l'appui, que l'évolution obéit à une progression d'ordre doublement exponentiel : dans chaque phase, la durée de chacune des étapes diminue sur un rythme exponentiel tandis que la complexité croît à la même cadence. En résumé, d'après Kurzweil, la loi de Moore traduirait, dans le registre de la technologie, la loi universelle de l'évolution qui conduit du néant primitif à l'épanouissement de la spiritualité universelle.

Conséquence implicite, l'homme biologique ne représenterait qu'un chaînon temporaire dans la grande marche de l'évolution. Une fois son temps achevé, il cédera le pas au chaînon suivant, en l'occurrence, à l'homme bionique qui, par analogie à un membre bionique, à savoir à une prothèse technologique greffée sur le système nerveux, désigne un dispositif matériel robotisé commandé par une conscience humaine dégagée de sa gangue biologique. Dès lors, notre esprit prendra son essor en s'affranchissant de son enveloppe charnelle – et cérébrale – et se téléchargera sur une machine pour devenir souffle pur et simple « pneuma ».

Nous discuterons ultérieurement de la transformation de l'homme ainsi désincarné. Mais d'abord, examinons en détail l'hypothèse selon laquelle la loi de Moore se poursuivrait indéfiniment, car cela pose quatre ordres de problèmes : des problèmes d'ordre logique sur son extension infinie du fait de son caractère inductif, des problèmes d'ordre matériel sur la possibilité d'une prolongation sans limites de la miniaturisation, des problèmes d'ordre empirique, sur la confrontation de cette loi avec les observations paléontologiques de l'évolution et enfin des problèmes d'ordre sémantique, sur la signification d'une explosion de la puissance de calcul.

Paradoxe logique

Commençons tout d'abord par rappeler que la loi de Moore n'est qu'une formule empirique, c'est-à-dire un résumé d'observations concis et commode. Qu'elle soit avérée depuis plus d'un demi-siècle maintenant ne change pas sa nature empirique. Elle ne possède d'autre fondement que le simple constat que l'on en a fait jusqu'ici. Il s'ensuit que rien n'assure de sa validité future. Certains rétorqueront que la connaissance progresse souvent de la sorte : des observations répétées conduisent à une quasi-certitude. Citons là Buffon et son essai d'arithmétique morale, dans lequel il affirme que la certitude que le soleil se lèvera demain, vient de ce que nous l'avons vu se lever un nombre considérable de fois :

> En supposant un homme qui n'eût jamais rien vu, rien entendu, cherchons comment la croyance et le doute se produiraient dans son esprit ; supposons-le frappé pour la première fois par l'aspect du soleil ; il le voit briller au haut des Cieux, ensuite décliner et enfin disparaître ; qu'en peut-il conclure ? rien, sinon qu'il a vu le soleil, qu'il l'a vu suivre une certaine route, et qu'il ne le voit plus ; mais cet astre reparaît et disparaît encore le lendemain ; cette seconde vision est une première expérience, qui doit produire en lui l'espérance de revoir le

soleil, et il commence à croire qu'il pourrait revenir,
cependant il en doute beaucoup ; le soleil reparaît de
nouveau ; cette troisième vision fait une seconde expérience qui diminue le doute autant qu'elle augmente la
probabilité d'un troisième retour ; une troisième expérience l'augmente au point qu'il ne doute plus guère
que le soleil ne revienne une quatrième fois ; et enfin
quand il aura vu cet astre de lumière paraître et disparaître régulièrement dix, vingt, cent fois de suite, il
croira être certain qu'il le verra toujours paraître, disparaître et se mouvoir de la même façon ; plus il aura
d'observations semblables, plus la certitude de voir le
soleil se lever le lendemain sera grande ; chaque observation, c'est-à-dire, chaque jour, produit une probabilité, et la somme de ces probabilités réunies, dès qu'elle
est très-grande, donne la certitude physique, […] et il
en sera de même de tous les autres effets de la Nature[56].

En suivant le même raisonnement, la légitimité de
la loi de Moore viendrait de ce qu'on la constate
depuis longtemps. Du point de vue logique, un tel
raisonnement relève de l'induction, à savoir du passage de l'observation d'un grand nombre de cas par-
ticuliers à une loi générale.

Or, valider scientifiquement une induction demande
quelques précautions : l'observation réitérée puis la
simple colligation des constats sous une règle générale
ne suffisent pas ; on doit soumettre son raisonnement
à un certain nombre d'épreuves. On peut procéder à
des expérimentations, en reproduisant les conditions
matérielles qui président à l'apparition d'un phéno-
mène et en observant ce qui advient. En l'occurrence,
les conditions matérielles d'observation de la loi de
Moore ne sont pas aisément reproductibles. En effet,

ce sur quoi porte cette loi, à savoir l'évolution de la technologie, dépend de l'état immédiatement antérieur de la technologie qui lui-même change de façon continue dans le temps, sans que l'on puisse revenir en arrière. La loi de Moore se présente donc comme une loi historique, qui n'autorise pas à proprement parler d'expérimentations. On objectera, avec raison, qu'il existe des sciences historiques, comme la géologie, qui se trouvent confrontées aux mêmes difficultés : on imagine mal reproduire à l'identique les conditions matérielles à l'origine de la formation de la Terre, et pourtant, il existe bien des sciences de la Terre aussi rigoureuses dans leur démarche que les autres sciences de la nature. À défaut d'expérimentation, ces sciences recourent implicitement à un axiome de régularité selon lequel ce qui advint dans le passé advient et adviendra toujours de la même façon. En d'autres termes, pour reprendre les mots de John Stuart Mill, toute induction repose sur un principe d'uniformité :

> Comme le remarque l'archevêque Whately, toute induction est un syllogisme dont la majeure est omise ; ou (comme je préférerais dire) toute induction peut être mise sous forme d'un syllogisme, en y adjoignant une prémisse majeure. Si c'est effectivement fait, le principe en question (l'uniformité du cours de la nature) apparaîtra comme la majeure ultime de toutes les inductions, et sera pour les inductions dans le même rapport que la majeure d'un syllogisme avec la conclusion qui est là non pas pour contribuer à la prouver, mais comme étant une condition nécessaire de ce qui est prouvé[57].

Or, si on postule, sans trop de difficultés, l'uniformité du cours de la nature, on ne saurait procéder identiquement avec l'évolution de la technologie. Rien n'assure que le rythme des inventions passées se reconduira dans l'avenir. L'histoire de l'Antiquité, du Moyen Âge et de l'Extrême-Orient montre des périodes de stagnation, voire de régression technique au cours desquelles des procédés tombent en désuétude, tandis qu'au cours d'autres âges, le rythme s'accélère et les transformations s'enchaînent à une allure vertigineuse. En somme, l'observation de la loi de Moore sur les cinquante dernières années ne garantit nullement sa validité dans le futur.

Ajoutons à cela que le principe d'uniformité, condition nécessaire de toute induction, se trouve particulièrement malmené au voisinage des discontinuités. On sait que, dans les sciences de la nature, les lois usuelles sont souvent mises en défaut à l'approche des zones de singularités, c'est même ce qui caractérise ces dernières ! Il y a de fortes chances qu'il en aille identiquement avec les lois portant sur le cours de la technologie. En conséquence, la légitimité de la loi de Moore qui repose sur un axiome de régularité est contredite par l'idée même de Singularité qui découle de la perpétuation de cette même loi. Nous nous trouvons donc confrontés ici à un paradoxe logique. En effet, même si rien n'exclut, au plan logique, qu'une évolution catastrophique de la technologie vienne bouleverser le statut de l'homme dans la nature, cette rupture ne saurait se déduire d'une loi reposant sur la régularité du cours de la technologie.

Limites matérielles

Outre ces objections logiques à la progression indéfinie de la loi de Moore, il existe des arguments d'ordre physique et technologique qui amplifient le doute.

Dès 1962, un physicien, Hans-Joachim Bremermann[58], montre, en s'inspirant de l'équivalence entre masse et énergie d'Einstein et du principe d'incertitude de Heisenberg, qu'il existe des barrières physiques que les systèmes de traitement de l'information ne sauraient franchir. Bremermann en énonce trois : une barrière spatio-temporelle tenant à la vitesse de propagation finie des ondes électromagnétiques, une barrière quantique limitant la fréquence de transmission de l'information, et une barrière thermodynamique liée à l'accroissement de l'entropie physique qui compense la diminution de l'entropie information- nelle résultant du calcul. Ces idées théoriques appa- raissent extrêmement importantes, en particulier pour déterminer la taille minimale des clefs de cryptogra- phie. Elles nous enseignent que la loi de Moore ne se poursuivra pas éternellement.

Toutefois, ces bornes matérielles portent sur tous les systèmes physiques, quels qu'ils soient. Elles valent donc pour tous les organismes naturels et pour leurs parties. En se référant à John von Neumann[59], Bremermann mentionne dans un article publié en 1965[60] que, de par sa constitution, le cerveau de l'homme demeure très éloigné de ces barrières phy- siques. Selon lui, il serait « inefficace » d'un facteur évalué à environ trois milliards. À supposer que des

dispositifs techniques approchent cette limite, ils éga-
leraient l'équivalent de trois milliards de cerveaux…
Ils surpasseraient donc grandement l'homme et
l'humanité. En somme, si elle énonce bien une limite
théorique à la miniaturisation, cette limite ne procure
à l'homme aucune assurance.

Indépendamment de ces considérations d'ordre
physique, les techniques actuelles souffrent de sévères
limitations. La réalisation des processeurs repose toujours sur l'emploi du silicium et de semi-conducteurs.
Le principe est simple : on empile des strates de matériaux aux propriétés électriques variées – conducteurs,
isolants ou semi-conducteurs de différents types – sur
un substrat de silicium. La découpe des circuits se fait
avec des produits photosensibles sur lesquels on pro-
jette de la lumière pour durcir et protéger certaines
zones, tandis que d'autres restent à l'abri. La finesse
de la gravure dépend donc de la résolution maximale
des images qui, elle-même, se trouve liée à la longueur
d'onde des rayonnements utilisés ; cela dépend aussi
de la taille des composants qui doivent comporter
quelques centaines d'atomes pour réaliser leurs fonctions. On ne pourra donc guère descendre au-dessous
de la dizaine de nanomètres, un nanomètre correspondant à 10^{-9} mètre, autrement dit à un milliardième de
mètre. On sait donc qu'il existe des limites aux procédés actuels de fabrication des processeurs. C'est ce
que l'on appelle couramment le « mur du silicium ».
Déjà, en 2016, la société Intel mentionne un ralentis-
sement du rythme de miniaturisation des processeurs
et, en conséquence, un écart à la loi de Moore[61].

Il se peut toutefois qu'une nouvelle génération de
composants technologiques parvienne à outrepasser

ces limites en ouvrant des perspectives neuves d'où résulteraient des accélérations inouïes. Certains parlent de matériaux nouveaux, comme le graphène. Isolé en 2004, ce dernier possède des propriétés de conduction supérieures à celles du silicium, laissant espérer une miniaturisation plus poussée. D'autres évoquent le calcul quantique, qui repousserait plus encore les limites de la miniaturisation. On annonce donc des pistes. Cependant, même si des chercheurs travaillent sur ces technologies prometteuses, rien ne permet d'affirmer, dès aujourd'hui, que l'une d'entre elles va s'imposer et prendre le relais du silicium. Si tel était le cas, il en résulterait indubitablement un changement radical des principes sur lesquels repose la conception des processeurs. Nous aurions affaire à l'équivalent d'une révolution technologique ou, pour reprendre les termes de Thomas Kuhn[62], à un changement de paradigme. Toutefois, de tels bouleversements prennent les esprits par surprise ; on ne les anticipe pas. À défaut, toujours pour paraphraser Thomas Kuhn, nous naviguons dans un régime de « technologie normale », régi sur des principes connus et éprouvés. Dans ce contexte, il est bien hasardeux d'affirmer que la loi de Moore va se poursuivre indéfiniment, car de nombreux arguments laissent entendre que nous atteindrons des paliers. En conséquence, rien ne permet d'assurer que les choses vont se produire comme prévu par la loi de Moore. À cet égard, rappelons que le cours de l'histoire humaine en général et de l'histoire des techniques en particulier dément bien souvent les anticipations. L'examen rétrospectif des études prospectives montre que le futur obéit rarement aux

prévisions. Le progrès est convulsif! Il n'existe pas
de déterminisme technologique. Il y a toujours des
hommes et ce sont eux qui inventent.

Réfutation empirique :
les grandes extinctions en masse

La généralisation de la loi de Moore repose à la
fois sur l'observation empirique de sa perpétuation,
à savoir sur la poursuite de la croissance exponentielle des performances des processeurs, et sur le
constat selon lequel la nature aurait elle-même évolué, depuis son origine, sur le même rythme exponentiel. Il n'en faut pas plus à Ray Kurzweil pour
fusionner les deux exponentielles, celle des progrès
techniques et celle de la cadence des transformations
majeures de la nature, en les assimilant l'une à l'autre
pour en faire une seule loi générale d'évolution.
Nous venons de constater tous les obstacles qui
s'opposent à la validité indéfinie de la loi de Moore.
Quant à la démonstration de l'assertion selon
laquelle la nature déploierait ses potentialités sur un
rythme exponentiel, elle laisse pantois, car elle
repose sur un énoncé de jalons de l'évolution qui
ressemble à un catalogue à la Prévert : vie, eucaryotes et organismes multicellulaires, explosion cam-
brienne et végétaux, reptiles, classe des mammifères,
primates, superfamille des hominidés, famille des
hominidés, redressement de l'ancêtre des humains,
genre *Homo* et *Homo erectus*, langage parlé, *Homo
sapiens*, *Homo sapiens sapiens*, art et premières
cités, agriculture, écriture et roue, cités-États, impri-

merie et méthode expérimentale, révolution industrielle, téléphone et radio, ordinateur, ordinateur personnel. Tout cela, rassemblé sur un graphique, avec
les dates approximatives de ces divers événements, a
l'air d'obéir vaguement à une loi exponentielle.

Mais bien des questions surgissent. Pourquoi avoir
choisi ces jalons[63] plutôt que d'autres ? Aucune justification explicite ne préside au choix de ces marques
de l'évolution. Et comme, placées sur un graphique à
deux dimensions, celles-ci déterminent la forme d'une
courbe supposée correspondre à une loi générale, il
faudrait s'assurer qu'en les changeant on obtienne toujours la même courbe, et donc toujours la même loi. À
cet égard, on constate que ces grands repères correspondent tous aux débuts de phases d'émergence de
nouveaux phénomènes (vie, eucaryotes, reptiles, etc.).
Pourtant, les spécialistes de l'évolution montrent que
les disparitions sont au moins aussi importantes que
les apparitions, puisqu'elles conditionnent les évolutions futures. C'est en particulier le cas des « grandes
extinctions en masse[64] » qui paraissent concomitantes
de changements majeurs dans les écosystèmes et, en
conséquence, de conditions environnementales nouvelles qui permirent à des espèces endémiques de proliférer. Ainsi, les mammifères, qui apparurent très tôt,
au cours du Trias, il y a environ 230 millions d'années,
ne se multiplièrent et ne se répandirent massivement
qu'après l'extinction des dinosaures, qui leur cédèrent
la place il y a 66 millions d'années.

Au cours des temps géologiques, depuis le début du
Paléozoïque, il y a 540 millions d'années, les paléon-
tologues recensent[65] cinq ou six extinctions massives,
qui correspondent à cinq ou six cataclysmes majeurs.

La plus ancienne se place à la fin de l'Ordovicien, il y
a plus de 445 millions d'années ; la seconde, dite
extinction du Dévonien, eut lieu entre 380 et 360 millions d'années avant nous ; la troisième, l'extinction
dite du Permien-Trias, se déroula entre 245 et 252 millions d'années avant Jésus-Christ ; elle fut suivie,
de la quatrième, l'extinction du Trias-Jurassique, il
y a 200 millions d'années, au cours de laquelle dispa-
rurent les grands amphibiens comme le *Priono-
suchus*, une espèce de salamandre géante qui mesurait
9 mètres de long ; la cinquième, l'extinction du
Crétacé-Tertiaire, la plus célèbre, vit outre la mort de
50 % des espèces vivantes, la fin des dinosaures, il y a
66 millions d'années ; enfin, la sixième, l'extinction
de l'Holocène, il y a 13 000 ans, fut consécutive à la
colonisation de la planète par l'homme. Si nous met-
tons ces six dates les unes à la suite des autres :
445.10^6, 370.10^6, 250.10^6, 200.10^6, 66.10^6 et 13.10^3,
cela ne ressemble en rien à une progression exponentielle… En conséquence, la paléontologie des espèces
dément formellement la loi exponentielle d'évolution
de la nature postulée par Kurzweil ! S'il fallait encore
un autre argument, mentionnons Stephen Jay Gould
qui, au fil de ses nombreux ouvrages, en particulier de
L'Éventail du vivant[66], montre que l'évolution apparaît partout contingente : vue dans sa globalité, elle ne
se présente ni comme une marche ininterrompue vers
la complexité, ni comme une progression vers un idéal
de perfection ; il s'ensuit que toute volonté d'établir
un parallèle entre l'évolution des espèces et le déploiement progressif des potentialités d'un organisme
vivant au cours de sa croissance apparaît vaine.

Intelligence et calcul

Au reste, l'intelligence n'équivaut ni à une fréquence d'exécution d'opérations élémentaires, ni au nombre d'informations engrangées dans une mémoire. Ni l'accroissement de la puissance de calcul, ni la capacité de stockage ne produisent automatiquement de l'intelligence. Sans doute, le terme d'intelligence artificielle prête-t-il quelque peu à confusion. Rappelons que cette discipline créée en 1955 par deux mathématiciens, John McCarthy et Marvin Minsky[67], vise à simuler, sur des ordinateurs, les différentes facultés cognitives humaines et animales. Ses promoteurs partaient du principe selon lequel il serait possible de décomposer l'intelligence en fonctions si élémentaires qu'on pourrait les reproduire sur un ordinateur. Ce projet engagea un programme de travail analogue à celui de la physique moderne qui, depuis Galilée, partit du principe que la nature s'écrit en langage mathématique, ou de la biologie contemporaine qui, depuis l'avènement de la biologie moléculaire, avec la découverte de la structure en double hélice de l'ADN par Watson et Crick, ramena l'étude du vivant à celle de mécanismes chimiques. Or, tant le principe selon lequel la nature s'écrit en langage mathématique que celui selon lequel le vivant se ramène à des phénomènes physico-chimiques ne donnent lieu à des réponses uniques ; bien au contraire, ils encouragent à appréhender les phénomènes physiques et biologiques dans leur diversité, à l'aide de multiples théories potentielles qu'il convient d'explorer, de confronter puis de valider expérimentalement. Il en va de même avec l'intelligence artificielle : tout le travail de décomposition de l'intelligence en ses différentes facettes, puis de simulation de chacune d'entre elles reste à faire. Et cette simulation tient plus aux algorithmes, aux formalismes de représentation des connaissances, à la modélisation du raisonnement et à la logique qu'à l'accroissement des performances des ordinateurs, même si ces dernières autorisent désormais des mises en œuvre informatiques qui paraissaient impensables jusqu'ici. En somme, la puissance de calcul ne procure, à elle seule, ni réponse, ni explication. Elle ne permet pas d'atteindre, par un coup de baguette magique, l'horizon de l'intelligence artificielle.

Insistons : tout comme la matière, qu'elle soit inerte ou vivante, l'intelligence se manifeste sous des jours éminemment variés. Les théories émises à partir du XVIIIe siècle, en particulier avec la psychologie des facultés de Franz Joseph Gall, puis dans le courant du XIXe siècle, avec la psychologie scientifique de Taine, Binet, Spearman, etc., et, plus récemment, avec les sciences cognitives, soulignent cette diversité. À titre d'illustration, les théories contemporaines de Stanislas Dehaene corroborées par des observations faites au moyen de l'imagerie fonctionnelle cérébrale démontrent, de façon irréfutable, que des activités apparemment élémentaires comme le calcul[68] ou la lecture[69] mobilisent de nombreuses facultés différentes, selon le contexte, par exemple, pour le calcul, selon que l'on opère sur des petits ou sur des grands nombres, de tête ou par écrit, de façon analogique ou numérique, etc.

Bref, il n'y a pas de lien direct entre la puissance de calcul des machines et leur capacité à simuler l'intelligence. En conséquence, quand bien même la loi de Moore resterait valide, ce qui est, nous l'avons vu, bien hypothétique, cela ne conduirait pas inéluctablement à la création de machines ultra-intelligentes...

4

Autonomie

Machines autoreproductives

Il était une fois un courriel assez banal diffusé à toute une liste de destinataires dont je faisais partie. Tôt après l'avoir reçu, me parvint la réponse automatique d'un de mes corécipiendaires : absent de son bureau, il avait programmé un renvoi automatique à l'envoyeur avec copie à tous ses colistiers. Puis arrivèrent une seconde et une troisième réponse automatique de deux autres destinataires qui avaient procédé identiquement. Ces trois réponses ayant été envoyées à tout le monde, les messages des absents furent renvoyés à leur tour sur les boîtes des autres absents, qui par rebond automatique les renvoyèrent de nouveau et ainsi de suite. Rapidement, nous fûmes submergés de messages puisque, à chaque itération, le nombre de renvois doublait. À cela s'adjoignirent les usagers mécontents qui adressèrent à l'émetteur des demandes comminatoires de désabonnement, demandes qui, elles-mêmes, se répercutèrent dans le cycle des rebonds multiples... L'expéditeur initial nous pria alors instamment de ne pas répondre pour ne pas en rajouter, ce qui en

rajouta *illico*, grossissant plus encore nos boîtes
aux lettres déjà pleines de messages inutiles. Cela
ressemblait au déclenchement d'une avalanche, lorsqu'une boule de neige grossit, grossit, grossit jusqu'à
rompre l'équilibre d'une plaque qui se détachant
provoque un glissement qui lui-même fait céder les
congères qui à leur tour se rompent et ainsi de suite.
Sauf l'intervention autoritaire d'ingénieurs ayant la
main sur le système d'exploitation et les protocoles
de transmission, rien n'aurait pu arrêter la multiplication des petits messages, car à la différence d'une
avalanche de montagne où la quantité de neige apparaît finie, le nombre potentiel d'envois de courriels
est illimité…

Cela s'apparente à l'« effet domino », aux réactions en chaîne ou aux risques systémiques en ce que
de petites causes répercutent des échos qui eux-
mêmes entrent en résonnance jusqu'à produire des
résultats retentissants. Dans le monde physique, les
lois thermodynamiques de conservation de l'énergie
limitent ces phénomènes. Dans le monde virtuel,
cette autoamplification semble possible ; du moins
rien ne vient la freiner, sauf les limites des capacités
des machines lorsqu'elles saturent.

En général, on craint ces enchaînements en cas-
cade. La seule prolifération de messages plus ou
moins identiques n'apporte rien d'autre que gêne et
désagréments. Les ingénieux fabricants de maliciels
en tirent avantage lorsqu'ils conçoivent des algorithmes autoreproductifs destinés uniquement à
infester les machines et à se propager, tels les virus
ou les vers. L'apport n'en est que négatif ; rien
d'autre n'en sort que le mal.

Pourtant, si au lieu de se contenter de propager de l'information inutile en la recopiant, les machines dupliquaient leur programme puis en amélioraient les différentes versions en observant leurs comportements et en en tirant des conséquences bénéfiques, elles parviendraient peut-être au bout d'un temps suffisant à réaliser des prouesses. C'est sur ce principe que reposent les théories de l'amorçage ou de l'autoapprentissage en intelligence artificielle telles qu'elles ont été exprimées par certains chercheurs comme Jacques Pitrat en France[70], ou plus anciennement, par Saul Amarel[71] et Herbert Gelertner[72] aux États-Unis. Jusqu'à présent, et après plus d'un demi-siècle, on a obtenu très peu de résultats tangibles dans cette voie de recherche. Cela étant, si l'on n'exigeait pas de contrepartie empirique pour valider ces théories, cela ressemblerait à s'y méprendre au fameux épisode des aventures du baron de Münchhausen[73] lorsque, sautant dans une mare et s'y trouvant embourbé jusqu'au cou, il s'enlève lui et son cheval, qu'il tient serré fortement entre ses genoux, en tirant ses cheveux par la force de son propre bras…

Apprentissage machine

Avant même que le terme d'intelligence artificielle n'ait été inventé, Alan Turing[74] évoque le rôle central que devrait prendre l'apprentissage automatique dans les deux articles qu'il a écrits en 1948 et en 1950 sur l'intelligence des machines : pour lui, afin qu'une machine « pense », ou plus exactement simule le comportement d'un être pensant, il faudrait qu'elle possède un grand nombre de connaissances sur le monde qui nous environne et sur la réalité sociale. Or, le transfert de ces connaissances de bon sens aux machines apparaît extrêmement fastidieux, sans compter que cette tâche semble infinie, car on ne saurait assigner de bornes claires au savoir humain. D'après Turing, plutôt que de tout traduire explicitement dans un langage de programmation, il serait préférable de doter les machines de capacités à apprendre, c'est-à-dire à acquérir d'elles-mêmes compétences, savoir et savoir-faire à partir d'observations sur le monde extérieur, sur leur place dans ce monde et sur leur propre comportement.

Plus tard, en 1955, au moment de la naissance officielle de l'intelligence artificielle, les pionniers de cette discipline scientifique mentionnent de nouveau l'apprentissage machine[75], son importance et le rôle clef qu'il sera amené à jouer. Et, depuis soixante ans que l'intelligence artificielle existe, une grande partie des efforts poursuivis a porté sur l'amélioration des techniques d'apprentissage automatique.

De très nombreuses approches ont été explorées ; certaines s'inspirent de la psychologie humaine pour tenter de reproduire nos facultés d'apprentissage sur des machines ; plusieurs d'entre elles ont été simulées, par exemple la mémoire associative ou l'habituation par renforcement ; d'autres miment la plasticité synaptique, c'est-à-dire l'évolution des connexions entre les neurones du cerveau ; d'autres encore se fondent sur un parallèle avec l'évolution des espèces ou avec la maturation des idées dans la société ou encore avec l'auto-organisation des insectes sociaux que sont les abeilles, les termites ou les fourmis, etc.

Avec le temps, on explora en détail ces différentes métaphores, on implanta chacune d'entre elles, on les évalua, on les compara et on les formalisa avec des appareils mathématiques élaborés. Sans entrer dans les détails, citons parmi les approches les plus communément répandues les réseaux de neurones formels, les algorithmes génétiques, la construction d'arbres de décision, les *k* plus proches voisins, l'apprentissage bayésien, les machines à noyaux, les séparateurs à vaste marge (*support vector machines,* SVM en anglais), l'apprentissage profond (*deep learning* en anglais)... Et, il en est bien d'autres. Aujourd'hui, parvenues à maturité, ces techniques sont à la fois fort bien maîtrisées et très utilisées dans tous les domaines d'application de l'intelligence artificielle.

Masses de données

À cela, il faut ajouter que l'on amasse des quantités de plus en plus considérables d'information recueillies soit automatiquement, par toutes sortes de capteurs, sismographes, radiotélescopes, cardiofréquencemètres, caméras, microphones, objets connectés en tous genres, etc., soit manuellement, de façon distribuée, par *crowdsourcing**. Et ces

---

* Forgé sur le modèle d'*outsourcing* (« externalisation de la production ») avec le mot *crowd* qui signifie « foule », le *crowdsourcing* désigne des modalités de travail collaboratif à grande échelle sur le web.

données sont ensuite colligées, plus ou moins automatiquement, par le truchement de la toile, pour
constituer des amoncellements plus grands encore.
Ainsi, on rassemble tous les gazouillis (traduction
littérale de *tweet* en anglais) que nous émettons sur
les sites de microblogage, toutes les requêtes que
nous soumettons aux moteurs de recherche lors de
nos navigations sur internet et toutes les annota-
tions et tous les commentaires que l'on dépose sur
les réseaux sociaux. Certains logiciels comme
Waze enregistrent de façon systématique nos
déplacements et notre vitesse instantanée puis cen-
tralisent ces informations pour en déduire le flux
de la circulation automobile et offrir, en retour, à
chacun, l'itinéraire optimal. On imagine même
enregistrer bientôt en continu nos paramètres physiologiques (battement cardiaque, tension artérielle,
sucre, etc.) avec des montres ou des bracelets
connectés puis les envoyer directement aux institutions chargées de surveiller notre santé. Toutes ces
informations constituent ce que l'on appelle en
français des masses de données et en anglais des
Big Data, littéralement des « grosses données »
dont l'accumulation ébahit quelque peu. Pourtant
nous devrions être habitués, depuis plusieurs
dizaines d'années, à considérer l'accroissement du
rythme de production des informations comme aug-
mentant lui-même sans cesse, en doublant tous les
deux ans. Sans compter que de prime abord la seule
quantité ne constitue pas, en elle-même, un changement qualitatif. Qu'est-ce donc qui, dans ces
amoncellements de données, nous ahurit au point
de provoquer le vertige ?

Pour le comprendre, prenons quelques chiffres : nous l'avons vu, le catalogue des livres et imprimés de la Bibliothèque nationale de France, qui pendant longtemps constitua l'horizon ultime du savoir pour les érudits, contient quatorze millions d'ouvrages. À supposer, en ne s'en tenant qu'au texte des livres, que chacun d'entre eux comprend un million de signes typographiques, ce qui, tous ceux qui écrivent des livres le savent bien, constitue une borne supérieure assez généreuse, cela représente quatorze millions de millions de caractères. Comme chaque caractère typographique se code sur un octet, c'est-à-dire sur un regroupement de huit unités binaires d'information, cela tient sur quatorze mille milliards d'octets, autrement dit, en jargon de métier, sur 14 téraoctets (14 To), un téraoctet correspondant à un million de mégaoctets (10^{12} octets). Or, aujourd'hui, rien que le « poids » des gazouillis (*tweets*) échangés quotidiennement par les utilisateurs de la seule application Twitter se compte en téraoctets. Et, pour Facebook, il s'agit d'environ 500 téraoctets (500 To) par jour, l'équivalent en quantité d'information de dizaines de Bibliothèque nationale de France (BNF). Quant au web dans son ensemble, on compte qu'il a stocké environ 7 zettaoctets (7 Zo, un Zo correspondant à 10^{21} octets) en 2015, ce qui fait sept milliards de téraoctets, à savoir un demi-milliard de fois la BNF !

Or, aujourd'hui, on parvient à exploiter ces immenses masses de données avec les techniques d'apprentissage machine mentionnées plus haut, de façon à en extraire automatiquement des connaissances. Les performances sont époustouflantes…

Les logiciels de reconnaissance vocale comme Siri d'Apple ou la voiture autonome de Google en font largement usage. Il en va de même de logiciels de reconnaissance des visages qui obtiennent, dans des conditions bien définies, des taux de reconnaissance prodigieusement élevés. En mars 2016, le programme AlphaGo de la société DeepMind l'a même emporté au jeu de go sur Lee Sedol, réputé être l'un des meilleurs joueurs au monde, toujours en faisant appel à des techniques d'apprentissage machine, en particulier à de l'apprentissage profond et à de l'apprentissage par renforcement. Tous ces exemples constituent autant de preuves de l'efficacité de ces techniques. Et, comme nous l'avons déjà mentionné dans le premier chapitre, ce constat sert de justification aux déclarations alarmistes de nombre de scientifiques qui, à l'instar de Stephen Hawking, Frank Wilczek, Stuart Russell, Elon Musk, Bill Gates, etc., prétendent que les ordinateurs deviendront bientôt autonomes et se passeront de nous pour agir, jusqu'à dominer le monde par-devers nous. Doit-on les croire ? Y a-t-il là vraiment de quoi s'inquiéter ? Dans quelle mesure ce couplage des techniques d'apprentissage automatique avec les masses de données permet-il aux machines d'acquérir leur autonomie et, ce faisant, de s'affranchir de nous, au point de nous dépasser bientôt ?

Risques

Avant d'aborder de front ces questions, soulignons que l'apprentissage automatique dote les machines d'une capacité à construire d'elles-mêmes des connaissances et à les utiliser pour se reconfigurer en réécrivant leurs propres programmes. Il en résulte un accroissement impressionnant de leurs performances dont nous tirons les bénéfices dans beaucoup de nos activités quotidiennes. En contrepartie de ces effets positifs, les ordinateurs se reprogrammant d'eux-mêmes, sans qu'aucun être humain n'ait ni rédigé, ni relu, ni *a fortiori* vérifié les programmes qui les animent, leurs comportements deviennent de plus en plus difficiles à anticiper. Et cette imprévisibilité apparaît neuve, parce qu'elle ne tient pas uniquement à la difficulté que nous avons à prévoir les réactions des machines dans la précipitation de l'action, du fait de leur rapidité, mais au caractère inédit de leurs comportements qui découlent de l'exécution de programmes construits sur des données qu'aucun homme n'a jamais examinées. Et, même si certains l'avaient tenté, ç'aurait été en vain, car personne ne disposerait des facultés suffisantes pour exploiter de telles quantités dans leur intégralité. En cela, sans aucun doute, ces machines dépassent nos capacités.

Cela justifie pleinement les inquiétudes des chercheurs en intelligence artificielle qui signèrent les deux pétitions parues en 2015, l'une en janvier[76], sur les risques liés au déploiement d'agents artificiels dotés de capacités d'apprentissage et sur la nécessité de poursuivre des recherches sur leur robustesse, l'autre, quelques mois plus tard, en juillet 2015[77] par le même canal, sur les dangers que feraient courir les drones et autres systèmes d'armes autonomes. À titre personnel, je poursuis des recherches sur ce sujet dans le cadre du projet ANR EthicAA[78] (Ethique & Agents Autonomes) qui fait collaborer des philosophes, des logiciens et des chercheurs spécialisés dans différents domaines de l'intelligence artificielle, raisonnement automatique, systèmes multi-agents, logiques non-standards, modélisation de l'argumentation, etc. Nous cherchons à limiter les capacités d'action des agents artificiels, afin d'assurer qu'ils ne dérogent ni aux règles morales que nous leur donnons, ni aux procédures en vigueur, en dépit des conflits de normes qui apparaissent ici ou là. Dans un second temps, nous souhaiterions concevoir un cadre formel qui permette à des agents humains et artificiels d'interagir entre eux pour décider collectivement de la décision la plus satisfaisante qui respecte à la fois les règles instituées et les arguments sincères dont chacun, hommes ou robots, peut faire état, tenant compte des informations variées dont il dispose.

Répétons-le, compte tenu de la part que prennent d'ores et déjà les robots matériels et les agents virtuels dans la vie quotidienne, et compte tenu de la part grandissante qu'ils prendront très vraisemblablement dans le futur, il faut s'assurer de leur innocuité. Cette question mérite très certainement qu'on lui porte une attention soutenue. Les craintes légitimes tiennent à d'éventuels dysfonctionnements, aux risques d'accidents consécutifs à ces dysfonctionnements et à leurs conséquences dramatiques. Pour autant, doit-on s'inquiéter d'une autonomisation des machines et des agents virtuels qui, soudain, décideraient à notre place, pour satisfaire leurs propres besoins, sans plus nous consulter, ni même obéir à nos injonctions ?

Modalités d'apprentissage

Pour répondre à cette question, sans minimiser la puissance des techniques actuelles, reprenons la présentation des algorithmes d'apprentissage amorcée plus haut. Nous en avons énuméré plusieurs, suggérant que notre liste n'était pas exhaustive. Nous n'y reviendrons pas, sauf à noter qu'en dépit de leur variété, ces algorithmes ne relèvent que de trois modalités : l'apprentissage qualifié de « supervisé » parce qu'un professeur instruit la machine en indiquant, pour chaque instance, sa classe ou sa catégorie, l'apprentissage dit « non supervisé », parce qu'il n'y a pas de professeur, et l'apprentissage « par renforcement », qui repose sur un jeu de récompenses positives ou négatives (punitions) consécutives à chaque action, ce qui correspond là encore à un professeur vieille manière, qui tape sur les doigts avec une règle en cas de mauvais comportement et donne des bons points en récompense pour les bonnes réponses.

Les résultats époustouflants mentionnés précédemment tiennent essentiellement aux algorithmes d'apprentissage supervisé et dans une moindre mesure aux algorithmes d'apprentissage par renforcement. Ces derniers ont fait l'objet d'attentions soutenues et de formalisations mathématiques comme l'apprentissage statistique de Vladimir Vapnik[79] et la théorie formelle de l'apprentissage dont Leslie Valiant est l'un des précurseurs avec l'approche dite PAC (*probably approximately correct*)[80,81]. Lorsqu'il s'agit de reconnaître des phonèmes dans une séquence sonore, comme pour la dictée vocale, d'identifier des empreintes digitales, des voix, des émotions ou des visages, ou encore de décider si un véhicule doit freiner, accélérer et tourner à gauche ou à droite, ces techniques marchent fort bien, car il suffit de fournir des myriades d'exemples de chacune des catégories que l'on souhaite identifier. Si l'on veut améliorer les performances de la voiture autonome, on peut aussi lui donner une récompense en fonction de sa rapidité et une pénalité en cas d'accident. Quoi qu'il en soit, la mise en œuvre des procédures d'apprentissage nécessite des exemples annotés pour l'apprentissage supervisé et « récompensés » pour l'apprentissage par renforcement. Dans les deux cas, le même problème se pose : qui annote ou récompense et punit ? Un professeur est requis, ce qui signifie que la machine n'est pas totalement autonome en ce sens qu'elle ne se donne pas spontanément ses propres règles, puisqu'elle suit la leçon que des hommes lui enseignent.

Pour éviter toute ambiguïté, rappelons que le terme d'autonomie appliqué à un agent recouvre deux idées bien différentes. D'un côté, cela signifie que l'agent se meut seul et prend des décisions d'action sans le secours d'un autre, comme cela se produit pour une voiture autonome qui choisit d'elle-même son itinéraire ou pour un système d'armes qui déclencherait un tir sur une cible, parce qu'elle bouge ou qu'elle possède toutes les caractéristiques indiquées au cours de la phase d'apprentissage. Autrement dit, l'autonomie d'un agent, au sens technique, signifie qu'il existe une chaîne de causalités matérielles allant de la prise d'information par des capteurs, à la décision, puis à l'action, qui ne fait pas intervenir d'agent extérieur, en particulier d'agent humain. Mais d'un autre côté, au plan philosophique, l'autonomie tient à la capacité à se donner sa propre loi, à savoir les règles et les finalités de son comportement. Dans cette seconde acception que nous qualifierons de philosophique, l'autonomie s'oppose à l'hétéronomie, autrement dit, à la soumission d'un agent à une loi dictée de l'extérieur, par d'autres. Cela voudrait dire qu'un système d'armes qualifié d'autonome en ce second sens ne se contenterait pas de déclencher un tir sur une cible choisie parce qu'elle possède des caractéristiques de couleur ou de forme données, mais qu'il déterminerait, de lui-même, les caractéristiques des cibles qu'il déciderait d'atteindre pour satisfaire les objectifs qu'il se serait lui-même donnés. Nous savons depuis longtemps fabriquer des machines qui se meuvent d'elles-mêmes, comme les drones ou les trains automatiques, c'est-à-dire qui sont autonomes au sens technique. Cela ne pose pas de problème. Les techniques d'apprentissage les rendent plus efficaces ; elles facilitent indubitablement leur programmation et leur mise en œuvre. La question délicate porte non sur l'autonomie en ce premier sens, mais sur l'autonomie dans son acception philosophique. Même douées d'apprentissage et de capacités à faire évoluer leurs propres programmes, les machines n'en acquièrent pas pour autant d'autonomie en ce second sens, car elles restent soumises aux catégories et aux finalités imposées par ceux qui auront annoté les exemples utilisés durant la phase d'apprentissage.

Certains argueront qu'avec l'apprentissage par renforcement tout se passe comme dans la vie, sans autre professeur que la nature, puisque la récompense tient à la survie ou à la satisfaction des désirs et la punition, à la mort ou à la peine subie. Comment choisir entre tous ces critères ? L'hésitation entre le privilège accordé à l'épanouissement de l'individu, à l'amélioration de l'espèce ou à la préservation de l'ensemble de la biosphère montre bien que le choix ne peut se faire spontanément et qu'il n'y a pas là plus d'autonomie, à proprement parler, qu'avec l'apprentissage supervisé. En effet, celui qui configure l'algorithme d'apprentissage par renforcement choisit lui-même le critère à optimiser, sans que la machine soit en mesure de le changer.

Il s'ensuit que ni l'apprentissage supervisé ni l'apprentissage par renforcement ne dotent les machines d'autonomie au sens philosophique. Rien donc, au plan scientifique, ne justifie les craintes susmentionnées exprimées entre autres par Stephen Hawking, Elon Musk, Bill Gates et Stuart Russell dans leurs déclarations publiques récentes. Sans doute, les résultats empiriques évoqués apparaissent-ils significatifs et les performances éblouissantes des techniques d'apprentissage méritent-elles qu'on s'appesantisse sur les risques potentiels d'accidents. Mais cela ne veut nullement dire que nous atteignons un point de non-retour au-delà duquel nous devrons nous soumettre au pouvoir des machines.

Invention

À cela on ajoutera que, pour être mis en œuvre, les algorithmes d'apprentissage requièrent des observations qui doivent être décrites dans un langage formel, par exemple sous forme d'un vecteur de caractéristiques ou d'une formule mathématique ou logique. Ce langage prend une part déterminante dans les capacités qu'ont les machines à apprendre : trop pauvre, il ne permet pas d'exprimer les distinctions nécessaires à la formulation des connaissances ; trop riche, il noie les procédures d'apprentissage dans l'immensité des théories possibles. C'est ce que démontrent les théories formelles de l'apprentissage.

Or, les machines ne modifient pas d'elles-mêmes le langage dans lequel s'expriment les observations qui alimentent leurs mécanismes d'apprentissage et les connaissances qu'elles construisent. Elles ne parviennent ni à étendre ce langage, ni à le restreindre lorsqu'il se révèle trop riche. Il y eut bien quelques tentatives, que ce soit avec la programmation logique inductive, dans les années 1990, ou plus récemment avec l'apprentissage profond, mais les maigres résultats ne sauraient convaincre. Il faut dire que ces transformations de langage s'avèrent extrêmement délicates, même pour les hommes. Cela s'apparente aux difficultés que l'on rencontre dans la découverte scientifique. La science qualifiée de « normale » par Thomas Kuhn, parce qu'elle énonce des lois dans un cadre conceptuel fixe, se trouve parfois limitée par les restrictions du langage imposé par ce cadre conceptuel. À titre d'illustration, lorsque Claude

Bernard chercha à élucider le mécanisme d'action du curare, il hésita pendant vingt ans entre une paralysie des muscles et une modification de la conductivité des nerfs, sans jamais parvenir à discriminer l'une des deux hypothèses. Cela tient à ce que la cible du curare n'est ni le nerf, ni le muscle, mais la plaque de jonction entre le nerf et le muscle. Or, cette entité intermédiaire n'existait pas pour lui ; il se trouvait donc dans l'incapacité de l'incriminer. Pour parvenir à formuler correctement l'hypothèse, il aurait fallu introduire un concept dont il ne disposait pas.

Les mutations de systèmes conceptuels, que Gaston Bachelard caractérise comme des ruptures épistémologiques ou que Thomas Kuhn appelle des changements de paradigmes, se produisent sur un rythme plus lent et plus hasardeux que la formation de lois dans un cadre conceptuel donné. Aujourd'hui, les techniques d'apprentissage machine construisent des lois empiriques qui résument très bien des observations, mais elles ne parviennent pas vraiment à inventer des catégories neuves, même si l'on fait parfois état, çà et là, de quelques cas de notions connues émergeant spontanément, sans qu'on les ait explicitement mentionnées. Les prouesses technologiques réalisées grâce à la mise en œuvre d'algorithmes d'apprentissage sur de grandes masses de données ne tiennent ni à la création de descripteurs, ni à l'enrichissement des langages d'expression des connaissances. Or, les techniques d'apprentissage non supervisées censées construire automatiquement de nouvelles classes n'ont pas encore acquis la maturité qui leur procurerait la capacité à inventer des concepts neufs et, encore moins, des appareils conceptuels inédits.

En conclusion, rien dans l'état actuel des techniques d'intelligence artificielle n'autorise à affirmer que les ordinateurs seront bientôt en mesure de se perfectionner indéfiniment sans le concours des hommes, jusqu'à s'emballer, nous dépasser et acquérir leur autonomie.

5

Gnoses modernes

Pseudomorphoses

Fossiles et cristaux

Dans la nature, il arrive que toutes les molécules d'un corps solide se modifient au terme d'un processus physico-chimique. Cela peut venir d'une substitution des molécules consécutive à une lente imprégnation, d'une altération progressive, par adjonction d'éléments extérieurs, ou de simples transformations structurelles dues à une évolution des conditions extérieures de température ou de pression qui, comme dans le cas d'une cristallisation, changent la géométrie moléculaire, et donc les propriétés mécaniques. Quand cela se produit suffisamment lentement, l'aspect extérieur se conserve, tandis que la structure physico-chimique se modifie. Il en résulte un état assez troublant dans lequel la forme évoque une substance qui n'est plus. Il en va ainsi lorsque le bois se pétrifie parce que la fibre de cellulose laisse place à de la silice, ou que les os, les arêtes et les coquilles se fossilisent du fait que les molécules organiques disparaissent au profit de différents minéraux, ou encore que des cristaux maclés d'aragonite conservent leur structure tandis que les molécules de carbonate de calcium y ont été substituées par du cuivre natif. On parle alors de « pseudomorphose » pour caractériser ce phéno-mène, pseudo- venant du grec, *pseudès* qui signifie « faux », « trompeur », et -morphose, de *morphosis* qui désigne une « action donnant forme ».

Pétrification sociale

Dans *Le Déclin de l'Occident*[82], ouvrage célèbre paru peu après la fin de la Première Guerre mondiale, un penseur allemand, Oswald Spengler, transposa le concept de pseudomorphose à l'espace social pour caractériser les cas où une culture dominante se transforme progressivement au profit d'une culture dominée, sans que les manifestations extérieures de la culture initiale changent. Sans nous prononcer sur la pertinence de ce concept dans cette acception déri-vée, nous nous proposons de l'importer de nouveau dans un autre champ, celui de l'épistémologie, pour décrire l'évolution récente de certaines disciplines qui se revendiquent de l'intelligence artificielle comme l'« intelligence artificielle forte » ou l'« intel-ligence artificielle générale », parce que, sous cou-vert d'intelligence artificielle, entendue au sens originel qu'elle eut et qu'elle conserve toujours, ces disciplines donnent forme à tout autre chose et, en particulier, aux discours sur la Singularité technolo-gique.

Histoire de l'intelligence artificielle

Le terme « intelligence artificielle » (*artificial intelligence* en anglais) fut introduit en 1955[83] par un jeune mathématicien, John McCarthy, qui déposa, avec trois autres scientifiques, Marvin Minsky, Nathan Rochester et Claude Shannon, un projet d'école d'été portant sur une nouvelle façon d'approcher les facultés cognitives humaines avec des machines. La lecture du texte indique clairement les principes sur lesquels repose cette discipline naissante : « L'étude doit se fonder sur la conjecture selon laquelle chaque aspect de l'apprentissage ou de toute autre caractéristique de l'intelligence pourrait être décrit si précisément qu'une machine pourrait être fabriquée pour la simuler[84]. »

L'objectif, d'ordre scientifique, vise à comprendre l'intelligence en en reproduisant sur des ordinateurs les différentes manifestations, comme le raisonnement, la mémoire, le calcul, la perception, etc. Plus précisément, John McCarthy et ses collègues se proposent de décomposer méthodiquement l'intelligence en facultés élémentaires puis de mimer chacune d'entre elles sur des machines. Ils définissent là un horizon de tâches infini qui correspond à celui d'une discipline scientifique inédite : l'étude expérimentale de la pensée avec les moyens offerts par les toutes nouvelles techniques de traitement de l'information (nous étions en 1955, moins de dix ans après la réalisation du premier ordinateur). Les cosignataires de la proposition mentionnent un certain nombre de pistes de recherche qui incluent la conception de nouveaux langages de programmation, l'étude des performances des algorithmes, l'utilisation de réseaux de neurones formels, l'analyse et la simulation de la créativité, l'étude des phénomènes d'abstractions ou la mise en œuvre de mécanismes d'autoapprentissage des machines passant par un examen critique par les machines elles-mêmes de leur propre fonctionnement. Même s'ils conservent un regard attendri sur la science-fiction, ces chercheurs restent modestes dans leurs ambitions : ils n'affichent pas d'intention démiurgique ; ils ne se proposent pas de produire un double de l'homme ou un surhomme. Leurs buts demeurent avant tout empiriques et pragmatiques : mieux comprendre l'intelligence, qu'elle soit humaine ou animale, tout en simulant certaines facultés cognitives au moyen de machines.

Dans les soixante dernières années, cette discipline enregistra des succès inouïs. Elle transforma le monde plus qu'aucune autre. Songeons que la toile provient du couplage des réseaux de télécommunication avec l'hypertexte, une modélisation de la mémoire conçue en 1965 à l'aide de techniques d'intelligence artificielle. Le nom du premier langage d'expression des pages du web, l'*hypertext markup language*, en abrégé l'HTML, en porte trace. Aujourd'hui, la dictée vocale, la biométrie*, la reconnaissance de visages, les moteurs de recherche,

---

* Étymologiquement, le terme « biométrie » désigne la science qui étudie les variations biologiques à l'intérieur d'un groupe déterminé. Aujourd'hui, ce mot recouvre aussi l'ensemble des techniques susceptibles d'identifier un individu à partir de ses caractéristiques physiques (empreintes digitales, grain de la voix, ADN, iris, forme du visage, etc.) ; c'est en ce dernier sens que nous l'entendons ici.

le profilage et la recommandation, toutes ces techniques recourent à des principes d'intelligence artificielle. Quant aux langages orientés objets, aux ontologies formelles, à l'apprentissage machine, au traitement de masses de données, ils sont eux aussi directement issus de l'intelligence artificielle*.

---

* Le terme « profilage » vient de l'anglais *profiler* où il désignait initialement une technique policière d'établissement des caractéristiques psychologiques et comportementales des criminels. Cet anglicisme s'est ensuite répandu dans le commerce en ligne où il recouvre aussi tout ce qui aide à identifier les goûts et les comportements d'achats des internautes. Aujourd'hui, ce « profil » est déterminé automatiquement à partir des traces de comportement et des manifestations d'approbations (les réponses aux « j'aime ») laissées par les internautes.

Pris de vertige devant la profusion d'articles qu'on cherche à lui vendre, l'homme moderne se lasse et perd toute envie : les spécialistes parlent alors de « crise du choix ». Pour lui redonner goût à la consommation, on ne lui offre qu'une sélection de produits adaptés à ce que l'on anticipe de ses désirs à partir de son profil : c'est ce que l'on appelle en termes techniques la « recommandation ». Le calcul automatique de cette recommandation se fait avec des techniques d'intelligence artificielle.

Les « langages orientés objets » sont des langages de programmation fondés sur l'utilisation d'entités organisées hiérarchiquement qu'on appelle des objets. Ces langages se sont grandement inspirés de travaux sur la modélisation de la mémoire conduits dans les années 1970 en collaboration entre l'intelligence artificielle et la psychologie cognitive.

Dans l'acception technique que lui donnent les spécialistes d'intelligence artificielle, les « ontologies formelles » désignent des thésaurus, c'est-à-dire des listes de mots, enrichis de relations logiques d'hyperonymie, d'hyponymie, d'équivalence,

Toutes les activités humaines s'en trouvent transformées : le travail, avec la robotisation, la finance, avec les enchères haute fréquence, l'économie, avec le profilage et la recommandation, la recherche scientifique, avec les simulations et les expérimentations *in silico*, la guerre, avec les drones autonomes, etc.

L'intelligence artificielle forte

Tôt après l'annonce de ce projet scientifique, l'intelligence artificielle fit l'objet d'intenses spéculations, en particulier chez les philosophes qui crurent y voir une prolongation de l'entreprise de rationalisation de l'esprit inaugurée aux XVIIᵉ et XVIIIᵉ siècles par les Lumières et, surtout, par des philosophes matérialistes et mécanistes comme Julien Offray de La Mettrie, auteur d'un ouvrage au titre précurseur et provocateur de *L'Homme machine*[85]. Ce projet s'inscrivait aussi dans le sillage des premières approches cognitivistes qui, avec entre autres Hilary Putnam, établissaient un parallèle entre le fonctionnement de notre esprit et celui des ordinateurs, où l'opposition entre le cerveau et le psychisme trouvait son pendant dans l'opposition entre le matériel et le logiciel. Soulignons que l'étymologie des mots français « matériel » et « logiciel » renvoie elle-même à « matière » et à « logos », ce qui évoque déjà ce rapprochement. Dès le début des

---

d'implication ou d'exclusion entre termes. Des démonstrateurs automatiques de théorèmes les utilisent pour procéder à des déductions automatiques analogues à celles que les hommes feraient.

années 1960, un élève d'Hilary Putnam, Jerry Fodor, poursuivit l'entreprise cognitiviste de son maître en s'inspirant du principe de décomposition de l'intelligence promu par l'intelligence artificielle afin de proposer une approche qualifiée de « modulariste » selon laquelle l'esprit se composerait d'un ensemble de modules spécialisés, chacun, dans différentes fonctions cognitives, qui interagiraient entre eux.

Ces approches cognitivistes qualifiées d'orthodoxes, ne firent pas l'unanimité chez les philosophes. Certains récusaient la réduction de l'esprit à un ordinateur ; d'autres n'admettaient pas l'existence de fonctions cognitives indépendantes des structures cérébrales qui les réalisent. Il s'ensuivit un certain nombre de critiques farouches de l'intelligence artificielle qui ne visaient pas la discipline scientifique à proprement parler, mais le fondement philosophique sur lequel elle était censée reposer. Ainsi, il y a une trentaine d'années, des philosophes comme Hubert Dreyfus[86] s'acharnèrent à la dénigrer de façon systématique dans maints ouvrages, allant jusqu'à mettre en cause les réalisations techniques auxquelles elle aurait contribué, car, selon eux, elle aurait poursuivi un projet philosophique erroné qu'amorça Platon et que reconduisit pendant vingt-cinq siècles la tradition occidentale jusqu'à la phénoménologie de Heidegger. Dans un registre moins polémique, des philosophes comme John Searle, Paul et Patricia Churchland ou Stephen Stich se contentèrent, dans leurs écrits, en particulier dans la célèbre expérience dite de « la chambre chinoise[87] » de Searle (voir encadré suivant), de mettre en cause les ambitions excessives de l'intelligence artificielle, en particulier la prétention qu'elle aurait eu de reproduire une conscience sur un ordinateur sans se référer aux structures matérielles qui la produisent. Tant dans leurs apologies que dans leurs critiques, ces philosophes ciblaient moins les investigations des chercheurs et des ingénieurs qu'une perspective philosophique qui allait bien au-delà de l'entreprise pragmatique qui les animait. En préalable à l'expérience de la chambre chinoise, John Searle caractérisa cette visée philosophique comme relevant d'une « intelligence artificielle forte » opposée à l'« intelligence artificielle faible » des chercheurs et des ingénieurs. Il confessait alors son admiration pour les réalisations de l'intelligence artificielle faible, sans mettre aucunement en doute ses succès tant actuels que potentiels. Autrement dit, il distinguait bien la discipline scientifique, délibérément empirique et technologique, d'un engagement philosophique beaucoup plus profond qu'il contestait.

La chambre chinoise

Pour montrer l'inanité des approches dites orthodoxes de la philosophie cognitiviste qui assimilent l'activité de l'esprit à une simple manipulation mécanique de symboles, un philosophe, John Searle, décrivit, au début des années 1980[88], l'expérience de pensée dite de « la chambre chinoise » qui est une espèce de geôle que l'on suppose localisée en Chine, ou tout au moins dans un pays où personne ne parle l'anglais. John Searle y place un Américain qui, fidèle à sa réputation d'Américain, ne connaît qu'une seule langue, l'anglais. Dans la cellule, il y a un panier, qui contient toutes sortes de carreaux de céramique sur lesquels sont dessinés des idéogrammes chinois. Sur l'un des murs, il y a un petit œilleton, par où le prisonnier voit un bout d'extérieur, et une lucarne devant laquelle il peut présenter des carreaux de céramique. Il y a aussi un grand livre avec des règles du type : si tel et tel caractères ont été observés dehors, il faut présenter à la lucarne tel et tel caractères du panier. Dernier point, on signifie à l'Américain que s'il veut manger, il faut qu'il obéisse avec diligence aux injonctions du grand livre. Plaçons-nous maintenant à l'extérieur et supposons que nous soyons Chinois : nous écrivons des messages sur des banderoles et le prisonnier répond de façon tout à fait pertinente à nos questions en présentant des caractères à sa lucarne. Cela nous induit à penser qu'il comprend parfaitement le chinois. Comment en douter ? Or, Searle nous affirme le contraire : selon lui, même après avoir manipulé pendant des années et sans erreur des carreaux de céramique pour dialoguer de façon pertinente avec ses interlocuteurs, cet Américain enfermé seul dans sa prison ne comprendra jamais un traître mot de chinois. Son activité est d'ordre mécanique, ou, pour reprendre la dénomination de Searle, syntaxique, puisqu'elle obéit à des règles bien définies, mais il n'accédera jamais au sens, à savoir à ce que Searle, en tant que linguiste, appelle la sémantique.

Cette expérience de pensée joua un rôle important dans les débats philosophiques en mettant en cause les parallèles simplistes entre l'intelligence artificielle, vue comme une manipulation de symboles au moyen de règles formelles, et le fonctionnement de l'esprit. Toutefois, il ne s'agit aucunement, pour Searle, de jeter le discrédit sur l'intelligence artificielle en tant que discipline empirique. D'ailleurs, dans l'article où il décrit l'expérience de pensée de « la chambre chinoise », il accorde tout à l'intelligence artificielle en

> tant qu'ingénierie. Pour cela, il distingue ce qu'il appelle l'« intelligence artificielle faible », c'est-à-dire l'intelligence artificielle des ingénieurs qui permet de construire des machines fabuleuses, de l'« intelligence artificielle forte » qui vise à reproduire le fonctionnement de l'esprit et, en particulier la conscience, avec des règles syntaxiques agissant sur des symboles. Or, d'après Searle, cela ne peut aboutir, car la production de l'esprit se réfère à une « granularité » plus fine que celle des simples symboles, ce qui exige de recourir à une reproduction des processus chimiques. C'est ce qu'est censé prouver l'expérience de pensée de « la chambre chinoise ». Notons que le paradoxe tient à ce que, vingt-cinq ans après Searle, certains ingénieurs reprennent sans vergogne le vocable d'« intelligence artificielle forte » en prétendent être en mesure de la produire…

Introduite, au tout début des années 1980, pour des besoins rhétoriques, cette « intelligence artificielle forte » correspond à une pseudomorphose de l'intelligence artificielle, au sens où nous l'avons définie précédemment. En effet, quoique, de par leur dénomination, l'intelligence artificielle forte et l'intelligence artificielle au sens premier apparaissent sœurs, tant la finalité que les méthodes de l'une et de l'autre diffèrent radicalement : là où nous avions une discipline scientifique fondée sur des simulations informatiques et sur leur validation expérimentale, nous trouvons une approche philosophique fondée uniquement sur une argumentation discursive ; là où l'on insistait sur la décomposition de l'intelligence en fonctions élémentaires reproductibles sur des ordinateurs, on insiste sur la recomposition d'un esprit et d'une conscience à partir de fonctions cognitives élémentaires. Et, comme dans la pétrification minérale, l'intelligence artificielle forte s'est construite à partir de l'intelligence artificielle dite « faible », en lui substituant progressivement un grand nombre de ses composantes initiales, tout en n'en conservant que l'apparence…

L'intelligence artificielle générale

Dans les années qui suivirent son introduction par John Searle, la notion d'intelligence artificielle forte eut tant de succès qu'on lui assimila parfois l'intelligence artificielle dans son ensemble. Cela se produisit tout particulièrement chez des philosophes peu soucieux de philologie qui inventèrent la notion de « bonne vieille IA » (GOFAI – *good old fashioned artificial intelligence* en anglais) pour caractériser ce qu'ils imaginaient avoir été l'ambition démiurgique de l'intelligence artificielle des origines et ses méthodes élémentaires fondées exclusivement sur la manipulation symbolique d'information.

Des scientifiques, comme le roboticien Hans Moravec, leur emboîtèrent le pas vers la fin des années 1980 : ils reprirent à leur compte l'intelligence artificielle forte pour affirmer que les méthodes de l'intelligence artificielle un peu renouvelées – ce qu'ils appelèrent la « nouvelle AI » en référence à la « nouvelle cuisine » – conduiraient à la construction de machines totalement intelligentes faisant écho aux machines ultra-intelligentes de la science-fiction.

Quelques années plus tard, au début du XXIe siècle, se fit jour un autre courant qualifié d'intelligence artificielle générale (AGI, *artificial general intelligence* en anglais) qu'il ne faut surtout pas confondre avec l'intelligence artificielle (IA) née il y a soixante ans. Ses promoteurs, parmi lesquels on peut citer entre autres Ben Goertzel, Marcus Hutter ou Jürgen Schmidhuber, désirent refonder l'intelligence artificielle sur des bases mathématiques solides, équivalentes en certitude à celles sur lesquelles s'appuie la physique. Dans ce but, certains d'entre eux recourent à la notion théorique de complexité de Kolmogorov (voir encadré p. 85), qui correspond à la longueur du plus petit programme d'une machine de Turing universelle, et à la théorie de l'inférence inductive de Ray Solomonov qui fonde la prédiction optimale sur la complexité de Kolmogorov. Grâce à ce qu'ils considèrent comme la pierre philosophale de l'intelligence artificielle, ils aspirent à formaliser toutes les formes d'apprentissage machine en les ramenant à la contraction ultime des observations, au sens de la complexité de Kolmogorov, autrement dit à un rasoir d'Occam parfait. Ils assurent avoir ainsi jeté les bases d'une science générale de l'intelligence. D'autres fondent leurs affirmations sur des principes différents d'apprentissage machine, par exemple sur l'apprentissage dans les réseaux de neurones formels, que l'on appelle l'apprentissage profond (*deep learning*), ou sur l'apprentissage par renforcement. Comme, d'après les tenants de l'intelligence artificielle générale, tous les théorèmes mathématiques au fondement de cette science générale de l'intelligence s'avèrent démontrés, il s'ensuit que la réalisation d'une intelligence artificielle totale ne souffre d'aucune limitation et dépend uniquement de la capacité de calcul et de stockage des machines. Sans nous étendre sur les fondements et les justifications génériques de l'intelligence artificielle générale, indiquons que nous retrouvons, là encore, une pseudomorphose de l'intelligence artificielle en ce que la démarche empirique de décomposition de l'intelligence et de simulation de chacune de ses dimensions se trouve remplacée par une théorie mathématique générale de l'intelligence. Cependant, à la différence de l'intelligence artificielle forte qui trouve son origine dans les travaux de philosophes, l'intelligence artificielle générale vient de travaux de physiciens théoriciens reconvertis. Même si elle reprend à son compte le projet de l'intelligence artificielle forte, elle s'appuie sur des travaux mathématiques plutôt fumeux et, parfois, sur des réalisations informatiques, alors qu'initialement l'intelligence artificielle forte reposait uniquement sur une justification d'ordre discursif.

Complexité de Kolmogorov

Du nom du mathématicien russe Andreï Kolmogorov (1903-1987), la complexité dite de Kolmogorov, caractérise tout objet par la longueur du plus petit programme informatique capable de l'engendrer. À titre d'illustration, considérons les deux chaînes C_1 et C_2 de 32 caractères alphanumériques chacune : C_1 = « abababababababababababababababab » et C_2 = « 3r s8fia09cdwg4p98fg4rexvtaz3xvyq ». Il est facile de décrire en français un petit programme qui engendre C_1 : « répéter ab 16 fois ». En revanche, il est beaucoup plus difficile de trouver un programme simple qui engendre C_2, sauf à recopier intégralement la chaîne C_2 elle-même. Il en résulte que la chaîne C_1 paraît plus simple que la chaîne C_2. Pour formaliser cette intuition, on choisit un langage de programmation universel L, par exemple celui d'une machine de Turing universelle ; on conçoit alors qu'il soit possible de calculer la longueur du plus petit programme écrit dans ce langage qui engendre n'importe quel objet. Il suffit d'énumérer tous les programmes du langage L possibles en commençant par les plus courts puis de s'arrêter dès que l'un d'entre eux engendre la chaîne de caractères dont on cherche à mesurer la complexité. Bien évidemment, la longueur de ce programme dépend du langage L que l'on s'est donné. Toutefois on démontre (*théorème d'invariance*) qu'en changeant de langage L, la longueur du plus petit programme est équivalente à une constante près.

En dépit de cette équivalence, il n'existe pas d'algorithme général qui permette, dans un temps raisonnable, de calculer la complexité de Kolmogorov de n'importe quelle chaîne de caractères, puisque cela dépend du langage choisi. Cependant, sans déterminer la complexité de Kolmogorov, des programmes en fournissent, sur certains cas de figure, une borne supérieure.

L'étude de la complexité de Kolmogorov relève de la *théorie algorithmique de l'information* qui se trouve à la croisée de l'informatique théorique et des mathématiques. Ce domaine de recherche commence au tout début des années 1960, avec les travaux de Ray Solomonoff sur la *théorie de l'inférence inductive*, puis ceux d'Andreï Kolmogorov en 1965 et de Gregory Chaitin publiés en 1968. Aujourd'hui, cette notion sert de fondement à de nombreuses réflexions théoriques sur la compression d'information, sur l'inférence inductive et statistique et sur l'apprentissage machine, par exemple sur le principe du message de longueur minimal (*minimal message length* – MML en anglais) ou de la longueur minimale de description (*minimal description length* – MDL en anglais).

Aujourd'hui, en dépit de ces différences, les partisans de l'intelligence artificielle forte et ceux de l'intelligence artificielle générale ont partie liée entre eux et avec les annonciateurs de la Singularité technologique dont ils partagent bien des points de vue, quoiqu'ils manifestent parfois des désaccords de détail avec certaines de leurs déclarations les plus affirmatives. D'ailleurs, beaucoup d'entre eux comme Jürgen Schmidhuber, Marcus Hutter ou Ben Goertzel participèrent aux sommets de la Singularité et s'impliquèrent dans différentes institutions transhumanistes.

Écho

Comme en écho à ces deux pseudomorphoses, évoquons ici la gnose qui fut décrite elle aussi comme une pseudomorphose affectant les religions monothéistes, en particulier le christianisme et le judaïsme, par Hans Jonas dans son livre *La Religion gnostique*[89], toujours en référence à Oswald Spengler. Sans doute, ces rapprochements surprendront-ils. Les registres diffèrent totalement : de la spiritualité commune à la religion et aux déviances gnostiques, à l'horizon ouvert par les sciences et les technologies les plus avancées du XXIe siècle, quoi de commun, du moins à première

vue ? Les époques paraissent si éloignées ! Les
contextes s'opposent : de l'Antiquité moyen-orientale,
où la croyance en l'au-delà tenait une place centrale et
où l'économie reposait principalement sur l'agriculture et l'élevage, à la société de l'information globali-
sée, la vie, l'emprise de la société sur l'individu et
l'espérance humaine, n'ont rien à voir. Enfin, le statut
social du savoir gnostique diffère de celui de la Singularité : d'une connaissance occulte et réservée à
quelques initiés, on passe à une pseudo-connaissance
largement diffusée, à grand renfort de publicité, avec
l'appui des institutions les plus puissantes du monde
contemporain.

Pourtant, comme nous allons le voir, certains
traits propres à la gnose, dans son rapport avec la
religion, à la fois d'opposition et de récupération,
aident à saisir la doctrine de la Singularité dans son
rapport avec la science contemporaine. Précisons
que nous n'essayons nullement ici de caricaturer
certains groupes de scientifiques étrangers en dres-
sant un parallèle superficiel entre leurs supposées
théories spiritualistes et la gnose entendue comme
une croyance initiatique, absconse et syncrétique.
En cela, notre propos ici n'a rien à voir avec *La
Gnose de Princeton*[90], cet essai satirique écrit en
1974 par Raymond Ruyer qui visait moins des philosophes et des scientifiques américains localisés,
pour les besoins de la narration, dans l'université de
Princeton, que la représentation que certains intel-
lectuels français de l'époque se faisaient et don-
naient, de l'effervescence culturelle des campus
nord-américains dans les années 1960, sans en
connaître grand-chose. En revanche, dresser une

analogie entre certains aspects de la spiritualité gnostique et les caractères les plus saillants de la doctrine de la Singularité technologique nous paraît digne d'intérêt, car cela aide à mieux en appréhender la nature et l'ambition ultime. À cette fin, commençons par rappeler les traits les plus marquants de la gnose.

Outre l'influence des religions monothéistes du Moyen-Orient, essentiellement du christianisme et du judaïsme, et de la pensée grecque, les courants gnostiques s'inspirèrent de traditions spirituelles plus anciennes, en particulier des croyances magiques d'Égypte et de Babylone ainsi que du dualisme des religions persanes, en particulier du mazdéisme et du zoroastrisme. Toutefois, à la différence des monothéismes, chrétien ou juif, et de la philosophie hellénique, dont ils paraissent s'inspirer au point qu'on les confond parfois (c'est d'ailleurs la raison pour laquelle Hans Jonas parle à leur égard de pseudomorphose), les courants gnostiques ne reposent pas sur une recherche d'unité : là où l'on n'admettait qu'un seul Dieu ou qu'un principe unique, ils affirment l'existence d'une dualité radicale. D'un côté, l'être suprême, le vrai Dieu, qui demeure caché ; de l'autre, un faux Dieu, un usurpateur qui agirait en démiurge et aurait fabriqué l'Univers en cachette, à l'insu du vrai Dieu, à la faveur d'une imposture. Selon eux, il en résulta toutes sortes d'erreurs et de malfaçons qui causèrent nos maux, nos souffrances ainsi que notre finitude. Le monde dans lequel nous vivons ne serait qu'un faux-semblant, un ersatz qu'il conviendrait à tout prix de réparer pour accéder à la plénitude de l'être, à ce qu'ils qualifient de *plérôme*. Pour cela, il faut s'échapper du cours du monde dominé par le démiurge, s'arracher à son autorité, rompre avec sa domination. Cette rédemption passe par l'acquisition d'un savoir initiatique qui dissipe les illusions, d'une connaissance qui procure l'accès au monde caché. L'étymologie du mot « gnose » y renvoie directement : de *gnosis*, « connaisssance » en grec, elle avance que seule une connaissance particulière permet d'atteindre l'être véritable. Toute tentative qui recourrait à des moyens matériels serait vaine, puisque participant de l'empire factice du faux Dieu.

Ce savoir ne provient pas d'une réflexion conduite de façon rationnelle, comme dans la pensée philo- sophique grecque, ou d'un enchaînement logique à partir d'un point d'ancrage surnaturel, par exemple une révélation ou des paroles prophétiques, comme dans les théologies chrétiennes et juive, mais d'une narration. Il relève donc du *mythos* et non du *logos*[91] ; d'un récit et non du déploiement de la raison. Ce récit explique comment s'arracher à l'univers tronqué du faux Dieu en faisant advenir l'être authentique ; il parle aux initiés en leur indiquant par quels procédés, quels rites et quelles actions, ils mettront fin au pou- voir de l'usurpateur et atteindront à la perfection.

Sortie définitive, rupture irrévocable, séparation ultime… cela impose un événement singulier et brusque, une sorte de pliure dans le cours des affaires du monde à l'issue de laquelle tout changera : avant, le règne du faux Dieu ; après, celui de l'être suprême. Il s'ensuit que le temps gnostique[92] ne laisse aucune place à un retour en arrière ; il n'a rien du temps cyclique des croyances antiques, en particulier de la pensée grecque de l'éternel retour. Ce n'est pas non plus le temps des religions historiques, à savoir du christianisme et du judaïsme, qui admettent un début mythique, la création du monde, puis une fin ultime, la résurrection des morts ou la parousie, avec, entre les deux, un écoulement, certes pénétré d'épisodes miraculeux, de révélations, de trouées prophétiques et d'ouvertures, mais globalement linéaire. Il se distingue aussi, à l'évidence, du temps simplement cumulatif de la modernité et du progrès. En somme, c'est un temps coudé, brisé, noué autour de la possibilité d'une fracture seule susceptible d'apporter la dislocation salutaire.

Nous retiendrons ici quatre traits propres aux pensées gnostiques : l'opposition entre le démiurge, responsable de l'imperfection du monde, et l'être suprême dont il usurpa le pouvoir ; la prépondérance du *mythos*, la narration, sur le *logos*, l'argumentation ; le dualisme qui autorise une dissociation totale entre le spirituel et le matériel ; enfin, l'anticipation d'une brisure du temps, d'un changement profond grâce auquel certains accéderont à l'Être pur.

Lecture gnostique

Ces quatre critères se retrouvent dans les arguments déployés par les avocats de la Singularité technologique. Bien évidemment, il ne s'agit pas pour autant de l'assimiler aux courants gnostiques anciens. Les écarts d'époques, de circonstances et de propos sont trop considérables. Sans compter que cela n'apporterait pas grand-chose de les identifier. En revanche, en reprenant les quatre points précités, nous croyons être en possession d'une grille d'analyse qui aide à prendre du recul pour examiner les prétentions des tenants de la Singularité technologique afin d'en saisir la signification et la portée. Il suffit, à cette fin, de transposer, en quelque sorte, l'opposition entre gnose et religion monothéiste à l'opposition entre théories de la Singularité et science rationnelle, transposition facilitée par l'idée de pseudomorphose qui se retrouve tant dans le rapport de la gnose aux religions monothéistes que dans le rapport de l'intelligence artificielle générale, de l'intelligence artificielle forte et des autres courants qui promeuvent la Singularité technologique, à l'intelligence artificielle, en tant que discipline scientifique.

Connaissance salvatrice

Tout comme les penseurs gnostiques, les tenants de la Singularité technologique affirment que la nature est mal faite, qu'il faut la réparer pour permettre à l'esprit de réaliser son grand dessein et de prendre son essor. À ce premier point de rapprochement qui porte sur le rejet de la nature telle qu'elle est, et sur la nécessité de la transformer, s'ajoute une seconde idée qui l'enrichit en le complétant. Elle tient à l'existence d'une hypothétique connaissance cachée, en l'occurrence d'une loi d'évolution salvatrice masquée, qui conduirait à surpasser la nature, œuvre manquée d'un démiurge boiteux, en la corrigeant. Comme nous l'avons vu, selon Raymond Kurzweil, la loi de Moore ne se limiterait pas aux technologies de l'information ; elle relèverait d'un principe plus général qui aurait régi d'abord le monde physique, puis les espèces vivantes, et ensuite la culture humaine avant de s'imposer au déploiement autonome des technologies.

Au cours de cette grande épopée de l'esprit dans son combat contre les forces obscures de la nature, le monde passerait par six grandes périodes successives. Dans chacune d'entre elles, un état dominerait : particules et matière physique pour la première, vie organisée pour la seconde, animaux intelligents pour la troisième, humanité pour la quatrième, couplage de la technologie à la vie organique pour la cinquième, puis apothéose de l'esprit sous forme de technologies devenues autonomes et se déployant d'elles-mêmes pour la dernière.

Sans doute, une telle généralisation échappe-t-elle à la preuve scientifique, puisqu'elle porte sur des événements impossibles à reproduire. Mais qu'importe, selon Kurzweil, car elle s'impose à l'évidence, avec force graphiques et visions rétrospectives. Tout se passe là comme s'il existait, à côté des sciences effectives, physique, biologie et anthropologie, avec tous leurs appareils conceptuels, des savoirs d'un autre ordre qui aideraient à percer le secret de l'Univers, à libérer l'esprit des entraves que la nature lui a imposées et à l'épanouir. Dans cette perspective, on imagine que le domaine de validité des sciences de la nature atteindra ses limites lorsqu'on accédera au voisinage de la Singularité ; le monde s'affranchira alors des contraintes que font peser sur lui les lois de la nature ; la biologie usuelle cédera le pas à une nouvelle forme de vie où la technologie s'hybridera avec le vivant avant de prendre son essor indépendamment de l'homme, de la matière et de la vie organique ; enfin, ultime étape, la technologie elle-même se fera plus diaphane encore jusqu'à s'évanouir et laisser place à l'esprit pur.

Comment ne pas percevoir un rapport d'analogie entre cette loi d'évolution providentielle qui, grâce à la technologie, défie et corrige les lois d'une nature imparfaite, et l'arrivée du vrai Dieu qui adviendra pour réparer les erreurs commises par le démiurge et donner enfin à l'esprit souverain la place qui lui revient dans l'ordre de l'univers ?

L'opposition mythos/logos

Cette première relation de correspondance entre la Singularité technologique d'un côté et la gnose de l'autre, renvoie immédiatement à une deuxième portant sur le mode d'argumentation mis en œuvre. Là où la pensée rationnelle oppose classiquement le *mythos*, autrement dit ce qui relève de la fable ou de la légende, au *logos*, à savoir le discours raisonné fondé sur un enchaînement logique de propositions, la gnose les confond et intègre toute pensée au sein d'une vaste narration cosmique. De même, là où la science distingue nettement entre l'argumentation rationnelle, fondée sur des preuves d'ordre empirique ou mathématique, et l'imaginaire de romanciers ou de cinéastes, les penseurs de la Singularité technologique les confondent dans un grand récit.

Ainsi, la grande prosopopée de l'évolution racontée par Kurzweil dans ses ouvrages[93] relève, à l'évidence, du récit plus que de la science. Non seulement, comme nous l'avons vu[94], la loi de Moore n'a aucun caractère d'universalité, puisqu'elle ne résulte que d'observations et qu'elle demeure très approximative, mais, de plus, sa généralisation à l'évolution de la nature en général rend perplexe, car la comparaison du rythme de progression des étapes dépend évidemment du choix des étapes… Or, celui-ci paraît bien arbitraire ! Sans compter que la liste des jalons canoniques qui servent de support à l'établissement de cette charte de progression paraît bien hétérogène ! Nous ne résistons pas au plaisir de citer de nouveau l'énumération bigarrée qu'en a faite Kurzweil lui-même et qui se distingue quelque peu de celle que nous avions extraite[95] d'un autre des schémas présentés dans ses ouvrages :

> Voie lactée, vie sur Terre, premier eucaryote, première vie multicellulaire, explosion cambrienne, premières plantes à fleurs, collision d'astéroïdes, premiers hominidés, premiers orangs-outangs, divergence des hommes et des chimpanzés, premiers outils de pierre, émergence de l'*Homo sapiens*, domestication du feu, différenciation des types d'ADN humains, émergence de l'homme moderne, art paléolithique et protoécriture, invention de l'agriculture, techniques de démarrage du feu, développement de la roue et apparition de l'écriture, démocratie, invention du zéro et des nombres décimaux, Renaissance (presse à imprimer), révolution industrielle (machine à vapeur), physique moderne, découverte de la structure de l'ADN, transistor et maîtrise de l'énergie nucléaire[96].

Un regard sur les écrits des autres partisans de la Singularité technologique comme Hugo de Garis, avec sa chronique de la guerre des « artilects » où s'opposent « cosmits » et « terrans », ou Nick Bostrom qui raconte la fable de l'hyperintelligence des machines, ou encore Bill Joy, avec sa gelée grise proliférative et cannibale, montre, à l'évidence, qu'il en va identiquement chez tous ces auteurs.

Outre cette argumentation soumise plus à l'impératif narratif qu'à la logique et à la rigueur démonstrative, tout se passe aussi comme si science et science-fiction permutaient leurs rapports logiques et chronologiques : des scientifiques et des ingénieurs tirent désormais les justifications de leur recherche de la science-fiction alors qu'originellement l'inverse prévalait, en cela que les résultats scientifiques servaient d'aliment à l'imaginaire d'écrivains et de cinéastes. Sans doute, les fables portant sur la Singularité technologique apparurent-elles très tôt, juste après la réalisation des premiers ordinateurs, dont elles extrapolaient à l'extrême la puissance. Les réflexions d'Irvin John Good dans les années 1960, ou même antérieurement, dans les années 1950, celles du mathématicien Stanislaw Ulam ainsi que les premières nouvelles d'Isaac Asimov, puis, dans les années 1980 et 1990, les fictions de Vernor Vinge sur le sujet, montrent l'ancienneté de ce que l'on doit dès lors considérer comme des lieux communs[97]. Cela prouve aussi que les récits de la Singularité consacrés par la science-fiction trouvèrent initialement leur source dans les progrès de la technologie. Toutefois, aujourd'hui, le mouvement s'inverse : des scientifiques et surtout des ingénieurs prennent de plus en plus souvent modèle sur la science-fiction. Les affirmations de figures emblématiques du transhumanisme, tels Raymond Kurzweil, Hans Moravec, Hugo de Garis, Kevin Warwick, Hiroshi Ishiguro* ou Bill Joy, illustrent parfaitement ce renversement.

---

* Directeur du Laboratoire de robotique intelligente de l'université d'Osaka au Japon, ce roboticien réalisa une réplique totale de lui-même et de sa fille, en implantant sur les deux

Comme l'a très justement remarqué Robert Geraci dans son livre *Apocalyptic AI*[98], cela tient en partie au mode de financement de la recherche qui privilégie des projets susceptibles d'apporter du rêve et d'émoustiller. La volonté de démocratisation des choix d'orientation scientifique conduit parfois à accorder du crédit à des directions de recherche simplement parce qu'elles sont faciles à expliquer à un large public et qu'elles stimulent l'imagination populaire, même si leurs ambitions scientifiques paraissent irréalisables ou vaines. Financé à hauteur d'un peu plus d'un milliard d'euros (1,19 M exactement) en grande partie par l'Union européenne, le « projet du cerveau humain » (*human brain project* en anglais) illustre parfaitement cette dérive : dans sa version initiale, il impliquait 22 pays et plus de 90 instituts de recherche qui s'engageaient, collectivement, à simuler, d'ici 2024, le fonctionnement du cerveau humain avec un superordinateur. En 2014, un an après le début du projet, parut dans la presse grand public une lettre ouverte[99] signée par plus d'une centaine de chercheurs et adressée à la Commission européenne. Elle mettait en cause à la fois la gouvernance du projet, la pertinence de ses objectifs[100] et son coût prohibitif.

Néanmoins, cette quête de financements ne suffit pas à justifier totalement la confusion des genres, car il reste toujours des lieux de publication scientifique, revues ou colloques, qui accordent une place prééminente à la sobriété et à la rigueur. Or, nous

---

androïdes leurs propres cheveux et en leur donnant une apparence identique.

constatons, chez de nombreux tenants de la Singularité technologique, que cette confusion entre récits issus de la science-fiction et réalisations potentielles fondées sur les résultats de recherches scientifiques et technologiques paraît dominer. Cela renvoie, à certains égards, à la confusion entre l'horizon du mythe et celui de la pensée rationnelle que l'on observe chez les gnostiques.

Un dualisme radical

Poussés jusqu'au terme de leurs prétentions, les différents courants de promotion de la Singularité technologique conduisent tous à un dualisme radical qui fait pendant au dualisme radical des pensées gnostiques. Dans les deux cas, pour accéder à son plein épanouissement, l'esprit doit se dissocier totalement de l'univers matériel. Dans la perspective gnostique, cela découlait de l'opposition entre le démiurge, artisan du monde sensible, et l'être suprême, pure essence. Pour espérer échapper à l'empire du premier, on devait s'affranchir de la matière, source de corruption, parce qu'elle portait son empreinte. Toute possibilité d'évasion du sensible supposait donc une dissociation parfaite de la matière et du spirituel.

Dans la perspective de la Singularité, on affirme que les machines posséderont bientôt des capacités matérielles supérieures à celles de nos cerveaux au point qu'il sera loisible d'y télécharger nos consciences. Ceux qui auront la chance d'en bénéficier accéderont alors si ce n'est à l'immortalité, au moins à une vie prolongée substantiellement, puisqu'elle ne sera plus soumise à l'inéluctable vieillissement des cellules biologiques. Cela sous-entend donc que notre esprit se dissociera totalement de notre corps, qu'il s'en distinguera au point de parvenir à une existence autonome. Comment imaginer un dualisme plus radical ?

Considérant le contexte dominant, ce dualisme apparaît assez étonnant. En effet, les sciences contemporaines, en particulier les sciences cognitives, présupposent implicitement que l'ensemble des déterminants de notre pensée et, plus généralement, des facultés supérieures de notre intelligence, se ramène à des causes matérielles élémentaires. En héritiers des sciences actuelles, les tenants de la Singularité technologique sont mus par un matérialisme farouche issu du positivisme des sciences cognitives. Ils récusent donc toute explication étrangère à des enchaînements de processus physiques. Ce faisant, ils supposent aussi, et de façon quelque peu paradoxale, que tous ces processus peuvent se reproduire à l'identique sur des systèmes de traitement de l'information, en supprimant tout lien avec la matérialité de leur substrat originaire. Il s'ensuit que notre esprit pourrait poursuivre sa vie sur des ordinateurs, indépendamment des supports physiologiques sur lesquels il naquit et se développa. En conséquence, l'esprit existerait séparément et de façon totalement dissociée de la matière. Bref, poussé jusqu'au bout, le monisme consubstantiel à la science contemporaine dont les promoteurs de la Singularité technologique se réclament les conduit à admettre un dualisme tout aussi radical qu'incongru sur lequel ils fondent leur prétention.

Le temps brisé

Dernier aspect, le temps de la Singularité admet un point de rupture au-delà duquel l'esprit parvient à sa libération. Il présente une discontinuité sur laquelle repose l'ensemble des craintes ou des espérances. Le terme de Singularité évoque d'ailleurs, de façon explicite, un point critique qui marque une brisure. À partir de cet instant-là, l'homme se transformera pour s'hybrider avec les machines et changer son destin en sortant du cours ordinaire du temps. Dès lors, il parviendra à un autre temps, un temps neuf où il ne sera plus soumis à la corruption et au vieillissement naturel, ce qui lui donnera accès à l'immortalité.

Comment ne pas voir là une analogie avec le temps gnostique qui, lui-même, repose sur une sortie du temps et sur une brisure salvatrice au-delà de laquelle l'homme parviendra à échapper à l'emprise du démiurge pour accéder à l'esprit pur ? Il en résulte, dans les deux cas, une structure temporelle « rompue », avec un point de fracture au-delà duquel les lois matérielles, auxquelles les hommes sont soumis, changeront, au moins pour ceux qui sauront tirer parti de ces évolutions. Cette conception du temps échappe bien évidemment aux conceptions classiques, qu'il s'agisse du temps antique, cyclique, ou du temps des religions historiques, ou encore du temps homogène de la science moderne, ce qui surprend quelque peu concernant les promoteurs de la Singularité technologique qui se présentent, à titre individuel, comme des héritiers des conceptions du progrès scientifique et technologique, et qui en tirent autorité. Cela invite à examiner plus avant la structure temporelle sous-jacente.

6

Le futur futur

Un futur qui n'a plus besoin de nous

À l'aube du millénaire, Bill Joy, le cofondateur de la société Sun-Microsystem, prétendit sonner le tocsin en faisant paraître un article retentissant intitulé : « Pourquoi le futur n'a pas besoin de nous[101] ? » Avant et après lui, bien d'autres qui, comme lui, contribuèrent à la conception des technologies de l'information et bâtirent l'empire qu'elles ont aujourd'hui sur le monde, font maintenant mine de tinter le glas funèbre pour éveiller nos consciences assoupies... Même si, de l'un à l'autre, la chanson et l'air diffèrent quelque peu, le refrain demeure identique : nous courrons un grand risque avec le déploiement massif des technologies, car un précipice s'ouvre devant nous. Ce qui ici, dans la formulation de Bill Joy, retient notre attention tient à la référence explicite à un futur qui n'aurait pas, voire plus, besoin de nous. Cette invocation du futur fait écho à d'autres, par exemple au titre de l'ouvrage de Moravec *The Future of Robot and Human Intelligence*[102] ou aux noms de deux instituts de prospective très engagés, l'Institut du futur de la vie[8], qui fit paraître en

janvier 2015 une lettre ouverte signée des spécialistes d'intelligence artificielle inquiets des conséquences du développement de leur discipline, et
l'Institut sur le futur de l'humanité d'Oxford[7] dont le
seul intitulé suffit à indiquer les orientations transhumanistes.

« Le futur n'aurait – ou n'aura – plus besoin de
nous ! » Prise au pied de la lettre, et sans même en
discuter la cause, l'affirmation déroute : de quel futur
parle-t-on ? La tradition philosophique, en particulier
Leibniz[103], en distingue deux, le *futur nécessaire*,
qui se produit avec certitude sans que nous y ayons
aucune part, parce qu'il obéit aux lois d'airain de la
nature, et le *futur contingent*, qui arrive lui aussi avec
assurance, mais qui n'est pas nécessaire en ce sens
que « si quelqu'un faisait le contraire, il ne ferait rien
d'impossible en soi-même, quoiqu'il soit impossible
(*ex hypothesi*) que cela arrive[104] ».

À supposer que l'on parle du futur nécessaire,
l'affirmation se réduirait à une tautologie vide de
sens, puisque de toutes les façons il advient indépendamment de nous et obéit aux lois intangibles
de la causalité matérielle. Qu'elle porte sur le futur
contingent laisserait entendre que, dorénavant, notre
volonté n'y peut rien, que nous n'y prenons plus
aucune part, que la liberté humaine s'évanouit, que
nous ne sommes désormais que des jouets dans la
main d'un destin qui nous dépasse. Sans doute, cela
fait-il bien longtemps que la question du libre
arbitre se pose et que l'on débat des paradoxes de la
volonté coincée entre la nécessité matérielle et la
toute-puissance de Dieu.

L'énoncé surprend donc non par sa teneur, mais parce qu'il provient d'ingénieurs et de scientifiques issus d'un monde qui, jusqu'ici, semblait dominé par l'idéal des Lumières selon lequel l'homme devait seul prendre en charge son destin en pliant la nature à sa volonté. Selon eux, nous parviendrions, très bientôt, à la fin de la modernité entendue au sens d'une émancipation de la tutelle de puissances occultes et d'une domination de la rationalité sur la nature. En soi, cela n'apparaît pas très original ; la thèse ne se distingue guère de celles d'autres auteurs qui, venus d'horizons différents, ne revendiquent pas explicitement les thèses transhumanistes ou singularistes, et en arrivent pourtant à formuler des hypothèses approchantes. Ainsi en va-t-il des courants philosophiques postmodernes, par exemple de Jean-François Lyotard dans *La Condition postmoderne*[105] ou, plus récemment, des affirmations énoncées dans un manifeste publié sur le site officiel de la Commission européenne[106] par le groupe de travail Onlife qu'elle a parrainé et financé, et selon lesquelles la modernité comme tentative de dévoilement des secrets de la nature parviendrait, si ce n'est à son terme, tout au moins à un tournant. Citons, à titre d'illustration, une ligne de ce manifeste : « [...] les contraintes et les opportunités de l'ère informationnelle remettent profondément en question certaines prémisses de la modernité[107] ». Pour autant, en dépit de sa banalité, l'affirmation selon laquelle nous parvenons à la fin de la modernité demanderait certainement à être mieux étayée, mais tel n'est pas notre objet ici.

À cette première étrangeté s'en ajoutent au moins deux autres. La première tient au contredit performatif : à quoi bon se prononcer, puisque, quoi qu'il advienne, le destin serait scellé et l'avenir ne nous appartiendrait plus ? L'acte d'énonciation et de dénonciation s'oppose au constat fataliste qu'il exprime, tant dans la posture adoptée que dans l'invitation à l'action qu'il sous-entend. L'expression publique et prétendument sincère d'une révolte contre le cours des choses nie, dans l'incitation implicite à l'action qu'elle contient, le caractère inéluctable des évolutions à venir qu'elle annonce.

La seconde provient de l'itinéraire personnel des auteurs de ces propos : ceux qui s'expriment là acquirent leur réputation non de leur sagesse ou de leurs réflexions, mais de leurs activités d'hommes d'action, d'entrepreneurs ou d'ingénieurs, voire de toutes à la fois. Dès lors, il paraît pour le moins étrange que ceux-là mêmes qui réussirent à concrétiser leur propre volonté en mobilisant hommes et choses sur leur projet, proclament l'impuissance de toute volonté et la fin de la liberté.

Toutes ces interrogations engagent à pousser l'analyse plus avant pour élucider la signification de ces prédictions sur le futur ainsi que leur statut. Mais avant cela, et pour mieux saisir ce qui distingue ce *futur futur* annoncé aujourd'hui comme inéluctable de ceux de nos prédécesseurs, rappelons, comme l'explique Reinhart Koselleck dans *Le Futur passé*[108], que le futur a un passé et qu'il suscita maintes spéculations. Au fil de l'histoire, le mode de prédiction évolua en intégrant progressivement l'usage des nombres et de méthodes scientifiques.

Aujourd'hui, il se modifie encore, avec le recours aux grandes masses de données (*Big Data*). C'est ce que nous allons examiner ici. Nous verrons dans le chapitre suivant, que la forme supposée du futur se transforma, elle aussi, avec le temps, et qu'elle se transforme encore, tout en appartenant à un lexique somme toute assez restreint, ce qui donne à ce futur futur actuel tout à la fois un visage neuf et un air de déjà-vu.

Signes *versus* calculs

Augures, présages, prophéties, prédictions et prévisions

L'Antiquité recourait à toutes sortes de signes pour anticiper l'avenir. On observait les constellations d'étoiles, la nuit. On se souciait du vol des oiseaux. On examinait les entrailles de victimes expiatoires. On interprétait avec soin les mots des sibylles ou autres oracles. Les rêves faisaient l'objet de toutes sortes de spéculations. Les présages, auspices ou augures se multipliaient, se contredisaient parfois et reposaient soit sur la récurrence de coïncidences dûment observées, soit sur la vision anticipée de devins qui se trouvaient dans un état de transe ou dans un songe délirant. Dans un cas comme dans l'autre, aucune certitude, mais une croyance fondée sur un savoir traditionnel hérité des anciens et sur le repérage, dans la nature, de précurseurs du futur aux sens indécis.

Avec les religions abrahamiques, des prophètes inspirés ne se contentèrent plus de prédire, comme le faisaient augures, auspices et aruspices, en interprétant des présages, mais révélaient la volonté divine et annonçaient l'avenir. Ils se présentaient comme animés d'un souffle transcendant, comme porteurs d'une parole sacrée, d'une révélation qui ouvrait une fenêtre sur l'au-delà. Plus tard, au Moyen Âge, beaucoup de femmes et d'hommes, hantés par l'Apocalypse, scrutèrent les signes annonciateurs de la parousie, retour glorieux du Christ sur Terre et fin du monde.

En résumé, et comme l'indique Cicéron dans son traité *De la divination*, au cours des siècles, depuis la plus haute Antiquité et jusqu'à la fin du Moyen Âge, l'anticipation de l'avenir reposait soit sur le repérage de corrélations dûment répertoriées entre des événements, ce qu'il qualifiait de science, soit sur la prescience supposée exceptionnelle de quelques-uns qui proféraient des oracles :

> J'adhère donc à l'opinion de ceux qui ont admis deux sortes de divination, l'une ayant quelque chose de scientifique, l'autre étrangère à la science. Quand on émet une conjecture sur ce qui sera en s'appuyant sur des observations anciennes, on procède scientifiquement. Au contraire n'ont rien du savant ceux qui, sans méthode, sans se référer à des signes dûment observés et notés, ont de l'avenir une vision anticipée alors qu'ils sont dans un état d'excitation psychique ou en vertu d'un mouvement spontané, non contrôlé, ainsi qu'il arrive souvent aux songeurs et quelquefois aux prophètes délirants, tels que le Béotien Bacis, le Crétois Épiménide, la Sibylle d'Érythrée[109].

À l'époque moderne, la confiance exclusive dans la divination céda progressivement le pas aux calculs pronostiques. Pour autant, on ne regardait pas l'avenir avec l'assurance qu'il se déroulerait comme prévu, mais on le soumettait à une étude rationnelle, en considérant l'ensemble des possibles, pour parer à l'adversité. *Le Prince* de Machiavel illustre cette nouvelle façon d'anticiper l'avenir pour un souverain : on lui conseille d'envisager cyniquement toutes les éventualités, au lieu de se contenter de chercher des présages favorables.

Par la suite, cette tendance à examiner rationnellement toutes les conséquences possibles des choix a été généralisée à l'ensemble des actions humaines. Toutefois, cela ne signifie pas qu'à partir de l'époque moderne le futur ait été considéré comme « préécrit ». Bien au contraire, le recours à des prévisions rationnelles permet aux hommes de tenter d'agir librement et de décider en fonction de leur volonté, sans se soumettre au fatalisme et à l'arbitraire des signes du destin.

Science et prédiction

Avec le temps, cette volonté de fonder la prévision sur le calcul s'accentua. On introduisit de nouveaux outils comme le calcul des probabilités, à partir du XVIIᵉ siècle, puis successivement la théorie des jeux, la modélisation, la simulation informatique et, maintenant, le traitement de grandes masses de données (*Big Data*). Il apparaît toutefois surprenant de constater qu'en dépit de cette profusion de méthodes, l'avenir n'apparaît guère plus prévisible aujourd'hui qu'auparavant, même dans le domaine des sciences de la nature. Cette imprévisibilité vient de plusieurs facteurs conjugués qui tiennent en grande partie à la complexité des phénomènes naturels et sociaux que l'on essaie d'anticiper.

Personne de sensé ne doutera des prévisions qui reposent soit sur l'application de principes scientifiques d'ordre physique ou biologique communément admis, soit sur des théorèmes mathématiques. Tant que l'on ne sort pas du domaine de validité de théories bien établies, la certitude des prédictions paraît absolue. Cependant, la réalité nous confronte souvent à des situations si compliquées que personne ne sait déduire les évolutions des théories scientifiques causales admises comme certaines. La météorologie, les sciences du climat, l'économie, la politique offrent des exemples de telles situations où la complexité des phénomènes n'autorise pas un traitement systématique à partir des lois de la physique ou de principes mathématiques. On recourt alors à des simplifications, autrement dit à ce que l'on appelle des modèles, qui apparaissent comme autant d'instruments d'investigation. Rappelons que le mot « modèle » est forgé sur le radical indo-européen *méd-* d'où ont été dérivés les mots latins *metiri* (mesurer), *modus* (mesure imposée aux choses), *modo* (en restant dans la mesure), *modestus* (qui observe la mesure). Fidèle à son étymologie, le modèle se présente avec modestie comme un simple intermédiaire entre le scientifique et son objet d'étude qu'il aide à appréhender.

Pour jouer son rôle avec discrétion, il recourt parfois à une simplification des conditions physiques, parfois à une analogie fonctionnelle caractérisée formellement par un appareillage mathématique, parfois encore, de façon purement statistique, par l'étude de corrélations. Dans tous les cas, cette démarche requiert une validation empirique et théorique. Ainsi, dans les sciences du climat, on schématise de différentes façons les phénomènes selon les scénarios que l'on adopte, par exemple, selon que l'on suppose une croissance démographique faible avec consommation parcimonieuse, ou au contraire une croissance démographique forte, avec un gaspillage débridé des ressources, et selon l'importance relative que l'on accorde aux différentes conséquences du réchauffement, fonte des calottes polaires et augmentation du niveau des mers, modifications du régime des précipitations, migration des populations, absorption du gaz carbonique par les océans, changement des courants océaniques, etc. Cela conduit à de multiples simulations dont on compare les résultats à la fois entre elles et avec les observations recueillies. Une fois validées, ces schématisations servent à anticiper l'avenir, ce qui donne, éventuellement, différentes prévisions, plus ou moins en accord les unes avec les autres.

Limites de la prédiction

Cependant, la seule multiplication des observations ne suffit pas à étayer un modèle, quel qu'il soit. Même lorsque l'on aperçoit des dépendances statistiques notables sur de très grandes masses de données, cela n'autorise pas nécessairement à inférer des relations de causalité. Il existe d'ailleurs un site

web[110] qui collationne des corrélations déconcer-
tantes parce que les causalités que l'on en dériverait
paraissent à première vue absurdes. À titre d'illustration, des études montrent l'existence d'une corrélation entre l'application des crèmes solaires et la
fréquence des cancers de la peau. Il paraîtrait pourtant hasardeux d'en conclure immédiatement que
l'application de crèmes solaires cause le cancer de la
peau (même si ce n'est pas exclu), car à l'évidence il
existe une causalité inverse : ce sont les utilisateurs
et utilisatrices de crèmes solaires qui s'exposent plus
au soleil que les autres, ce qui provoque parfois le
cancer. De même, en 2007[111], aux États-Unis, une
publication de l'université d'État d'Ohio faisait état
d'une étude conduite sur 15 000 adolescents qui
concluait à l'influence de l'âge de la première expérience sexuelle sur la propension à devenir délin-
quant, ce qui confortait les partisans conservateurs
de « l'abstinence totale ». Et, effectivement, il existe
une corrélation entre l'âge de la première expérience
sexuelle et la délinquance. Toutefois, quelques mois
plus tard, une étude de l'université de Virginie à
Charlottesville conduite sur les mêmes données
démontrait que les facteurs socio-économiques se
corrélaient à la fois à l'âge de la première expérience
sexuelle et aux conduites délictueuses et, qu'en
conséquence, les conditions socio-économiques
apparaissaient plus déterminantes que l'âge de la
première expérience sexuelle sur la conduite délin-
quante. Cela signifie que les corrélations statistiques
ne correspondent pas toutes à des causalités et
qu'elles peuvent faire l'objet d'interprétations diver-
gentes. Pour induire des relations de causalité, il

convient donc d'explorer toutes les combinaisons de paramètres [112] et d'étudier leurs influences mutuelles, ce qui devient vite prohibitif dès que leur nombre croît et *a fortiori* dès que la quantité de données augmente beaucoup.

Somme toute, du traitement des masses de données, on pourrait presque dire la même chose que Cicéron de l'art divinatoire : « [il] autorise des conjectures, il ne peut aller plus loin. La conjecture peut se trouver fausse mais, le plus souvent, elle nous achemine dans la bonne direction [113] »...

Axiome d'uniformité

Outre ces difficultés, la portée prédictive d'un modèle repose sur une hypothèse régulatrice implicite d'homogénéité du temps. À défaut, si les lois qui régissent le modèle ne subsistent pas à l'identique, ce modèle n'aide en rien pour prédire le futur. Cela s'apparente à *l'axiome d'uniformité du cours de la nature* postulé par John Stuart Mill [114] dans sa recherche sur les fondements de l'induction, si ce n'est que cela ne se limite pas ici à la régularité de la nature, mais qu'on l'étend aux choses en général et, qu'en conséquence, on pourrait le rebaptiser : *l'axiome d'uniformité du cours des choses*.

Or, dans bien des secteurs qui touchent aux affaires humaines ou à la culture, le temps ne se présente pas de façon homogène, ce qui limite la portée des prédictions. Ainsi, comme le décrit très bien Ariel Colonomos dans *La Politique des oracles* [115], en politique, en économie, en histoire ou dans les sciences sociales, l'axiome d'uniformité ne se vérifie pas toujours et ce, pour au moins deux raisons : d'une part, dans les matières sociales, rien n'assure que les rapports interindividuels se reproduisent à l'identique ; d'autre part, l'anticipation modifie l'action des hommes et influe sur le futur, car sinon, elle ne servirait à rien. Cela n'empêche que, dans le passé proche, beaucoup de groupes de réflexion prospective passèrent outre et raisonnèrent comme si le futur devait obéir aux mêmes lois que le passé. À titre d'illustration, dans les *think tanks* les plus prestigieux, la plupart des observateurs autorisés de la défunte URSS refusèrent de voir les signes annonciateurs de sa chute dans les années 1970 et 1980[116]. De même[117], dans les années 1980 et 1990, un nombre important d'analystes du Moyen-Orient croyaient que, suite à la chute du mur de Berlin et à la démocratisation des régimes d'Amérique latine, les sociétés civiles des pays arabo-musulmans imposeraient elles aussi des régimes démocratiques et construiraient assez rapidement des nations similaires aux nations occidentales dans tous ces pays, optimisme qui alimenta à son tour la théorie dite « des dominos » selon laquelle la contagion démocratique se propage comme une réaction en chaîne, à l'instar d'une rangée de dominos qui se renversent. Cela prêterait à sourire si cette théorie n'avait pas servi de justification à la seconde guerre d'Irak. Quant au secteur économique, il fait aussi l'objet de supputations du même ordre qui se révèlent tout aussi peu fondées. Songeons aux spéculations boursières fondées sur des modèles mathématiques de prévisions que démentent régulièrement krachs et crises récurrents. De même, une brève étude rétrospective sur les anticipations du marché des technologies avancées, que ce soit dans le secteur de l'informatique et du numérique, par exemple sur l'intelligence artificielle et les réalités virtuelles, ou dans celui des biotechnologies, montre toutes les erreurs d'appréciation récurrentes faites d'espoirs excessifs suivis de pessimismes désabusés, tout aussi excessifs.

Métamorphose du futur

Quand bien même certaines approches scientifiques dotent aujourd'hui les hommes d'outils extrêmement efficaces pour anticiper l'avenir et faire des prévisions, leur mise en œuvre est assortie de conditions formelles draconiennes qui restreignent considérablement leur usage et exigent une grande rigueur. Cela limite la portée des prévisions dans les sciences sociales comme l'économie ou la politique, et dans les sciences de la nature qui abordent des phénomènes complexes comme le climat et son évolution. En effet, la validation des modèles demande d'abord de les confronter entre eux, en comparant les anticipations auxquelles ils conduisent, et en s'assurant qu'elles convergent. Or, jamais les tenants de la Singularité n'ont vraiment mis en regard les scénarios qu'ils dérivent de leurs hypothèses d'autres scénarios du futur.

De plus, il faut s'assurer que les conclusions que l'on tire d'un modèle ne s'opposent pas aux principes qui gouvernent ce modèle, autrement dit aux hypothèses simplificatrices qui président à son établissement et aux lois qui le régissent. Pourtant, ce dernier point vient, si ce n'est invalider, tout au moins jeter le doute sur un certain nombre d'assertions sur lesquelles reposent les théories de la Singularité.

En l'occurrence, comme nous l'avons déjà vu, la généralisation de la loi de Moore, selon laquelle le perfectionnement des machines se poursuivrait indéfiniment sur un rythme exponentiel, repose sur un axiome d'uniformité implicite selon lequel les conditions d'amélioration de la technologie subsisteront identiques à elles-mêmes[118]. Or, plus la miniaturisation se poursuit, plus les principes physiques sur lesquels cette miniaturisation repose se transforment, car la matière n'est pas homogène aux différentes échelles spatiales. Dès à présent, on connaît les limites des techniques du silicium sur lesquelles repose la fabrication des processeurs actuels. Certains espèrent que de nouveaux matériaux, comme le graphène, prendront le relais ; d'autres songent à fonder le traitement de l'information sur des principes différents, comme ceux du calcul quantique. Mais personne ne saurait assurer aujourd'hui avec certitude que, reposant sur d'autres fondements, les techniques de traitement se perfectionneront au même rythme. Rien n'autorise donc à faire de la loi de Moore une loi générale d'évolution. Sans compter que, comme nous l'avons vu[119], des éléments empiriques attestent du contraire. Et, d'un point de vue général, à défaut d'un fondement scientifique rigoureux, une loi d'observation, fût-elle vérifiée depuis quelques lustres, ne se perpétue pas forcément. En cela, le temps du progrès technique ne se présente pas comme homogène.

De façon symétrique, et en quelque sorte opposée, prédire que le futur n'aurait *plus* besoin de l'homme repose sur une hypothèse d'inhomogénéité radicale du temps tout aussi peu fondée. À supposer que les conditions matérielles actuelles subsistent à l'identique, aujourd'hui aucun élément ne prouve que, tout soudain, les technologies commenceront à se reproduire de façon autonome puis à proliférer spontanément. Tout au moins, rien dans l'article de Bill Joy cité plus haut ne se réfère à des études scientifiques rigoureuses suivies de débats contradictoires ; rien non plus dans les ouvrages de Ray Kurzweil sur la Singularité ou dans ceux de Nick Bostrom sur la « superintelligence » des machines n'y renvoie. Quant à présumer que le temps lui-même se métamorphoserait au point de modifier l'emprise de l'homme sur la nature, cela reviendrait à admettre l'existence d'un point d'inflexion à partir duquel ce changement majeur adviendrait, ce qui ne peut ni se prouver, ni s'invalider avec des méthodes scientifiques, puisque la science repose sur l'uniformité du temps. Pour préciser, rappelons que le concept de temps recouvre plusieurs notions bien distinctes les unes des autres : le temps physique dans lequel se déroulent les phénomènes, le temps interne dans lequel les individus raisonnent, le temps historique, etc. Sans doute est-il difficile d'imaginer les conséquences d'un temps physique malléable, voire accidenté, qui accélérerait ou décélérerait d'un coup. Nous n'aurions aucune façon de l'appréhender, sauf à constater collectivement le décrochage de notre propre temps interne face au monde : tout se mettrait à aller trop vite, ou éventuellement trop lentement par rapport à l'entendement de tous les hommes. Mais, comment le prouver et, surtout, l'anticiper ? Cela ne saurait faire l'objet d'une science, au sens propre, c'est-à-dire d'une démonstration rationnelle. Et, il en va identiquement de l'idée, soutenue entre autres par Kurzweil et Bostrom, selon laquelle le temps de déploiement des technologies se dissocierait tout d'un coup du temps interne de l'homme au point de le laisser dans l'hébétude.

Il en résulte que s'il existe bien un passé du futur qui varia au fil de l'histoire et auquel on accède par une étude méthodique des représentations que les hommes se firent de leur futur au cours du temps, ce dont les œuvres artistiques portent témoignage, le futur du futur, ou plutôt sa négation, échappe au calcul pronostique et à toute investigation rationnelle. En cela, nier l'avenir du futur relève non de la science, mais de la parole inspirée, de la prophétie ou de la divination.

Au reste, on notera un curieux paradoxe dans les discours sur la Singularité : ils reposent sur la poursuite de la loi de Moore, qu'ils généralisent et admettent comme un principe universel d'évolution, ce qui suppose une continuité de l'histoire de la nature qui serait guidée par un principe déterministe certes caché, mais absolu. Simultanément, ils admettent que le cours du temps se transforme brusquement en subissant des discontinuités radicales, ce qui paraît antithétique avec l'idée de continuité historique.

Possibilité, probabilité et plausibilité

On nous abuse trop souvent aujourd'hui au nom de la science en brouillant les distinctions entre trois concepts qui approchent différemment l'avenir : la possibilité, la plausibilité et la probabilité. L'absence de séparation entre ces trois notions engendre la confusion. Pour clarifier, rappelons d'abord qu'avant de renvoyer à l'appareil mathématique des probabilités qui se développa à partir de XVIIᵉ siècle avec les travaux de Blaise Pascal et de Pierre de Fermat, puis qui se perfectionna au XIXᵉ, avec la théorie de la mesure d'Émile Borel, et au XXᵉ siècle, avec l'axiomatique de Kolmogorov, le mot probabilité évoque l'idée de preuve. L'étymologie y renvoie : « probable » vient de *probare* qui signifie « prouver » en latin. De la sorte, sans être absolument certain, quelque chose de probable possède tout de même quelques accointances avec le vrai, et devrait donc avoir des chances non négligeables d'advenir.

En cela, il se distingue du possible, qui signifie simplement que quelque chose est susceptible de se produire, à savoir que rien n'interdit formellement sa réalisation, mais que rien non plus ne l'assure. Enfin, le mot plausibilité possède la même racine qu'« applaudir » : un événement plausible signifie initialement que beaucoup y applaudissent, autrement dit, qu'il est populaire et que nombreux sont ceux qui croient qu'il se produira, sans que rien n'en garantisse ni la possibilité, ni la probabilité. Sans doute, aujourd'hui, le sens du mot « plausible » a-t-il quelque peu évolué : il se détache de l'étymologie primitive pour désigner le vraisemblable, autrement dit ce dont l'apparence se conforme à l'intuition, ce qui le distingue toujours du probable et du possible.

Pour en revenir à la Singularité technologique, aux différentes formes de transhumanisme et de posthumanisme ou aux autres technoprophétismes contemporains, on constate que leurs partisans déploient beaucoup d'efforts pour les rendre plausibles – au sens étymologique –, et il semble qu'ils y parviennent au vu de leurs succès populaires. À cette fin, ils s'inspirent d'intrigues dramatiques qui firent l'objet de romans ou de films à succès, et dont par ailleurs rien ne prouve qu'elles ne se réaliseront pas. Beaucoup de celles-ci apparaissent donc possibles au sens que nous venons de préciser. Cependant, comme aucune étude sérieuse ne les compare et ne montre que la probabilité de l'une, par exemple l'advenue de la Singularité, l'emporte sur celle des autres, aucune ne s'impose vraiment comme probable. Pour préciser les choses, comparons les ouvrages sur la Singularité technologique ou sur le transhumanisme aux études scientifiques poursuivies dans la branche de la climatologie qui aborde les effets du réchauffement de l'atmosphère. Dans les deux cas, on tente de prédire l'avenir. Mais le parallèle s'arrête là. En effet, dans le cas de la climatologie, on simule différents modèles sous différentes hypothèses scientifiques ; on les valide par des études rétrospectives, sur des données issues d'observations contrôlées ; ensuite, on confronte les anticipations auxquelles ces modèles conduisent ; enfin, on les publie et on les discute publiquement. Aujourd'hui, tous les scénarios concluent au réchauffement global, même si la vitesse du processus et ses conséquences diffèrent d'un modèle à l'autre. Dans le cas de la Singularité technologique, il en va tout autrement : aucune évaluation claire ne confronte ce scénario à d'autres.

Qui plus est, des études rétrospectives montrent que les études prospectives conduites dans le passé sur les technologies de l'information se révélèrent toutes très approximatives [120, 121]. Bref, si rien ne permet d'affirmer l'impossibilité absolue de la Singularité, elle est hautement improbable, si improbable qu'on ne saurait l'envisager sérieusement.

7

Singularité et finitude

Topologies du temps

La Singularité technologique renvoie à une brisure du temps à l'issue de laquelle le futur n'appartiendrait plus à l'homme, mais à une nouvelle espèce, soit purement machine, soit hybride d'homme et de machine. Cela donnera à l'écoulement du temps vécu une allure un peu étrange : il ne s'arrêtera pas ; il continuera de filer, éventuellement avec nous, mais sans nous laisser aucune prise sur notre destin, car il nous réléguera à un statut purement passif et animal. Cela ne concernera pas uniquement notre bien-être ou notre confort. Au-delà, il en ira de notre liberté. Nous assistons là à un renversement de l'idéal de la technique : là où, au temps des Lumières, la technique était censée permettre à l'homme de maîtriser la nature et de prendre en main son destin, aujourd'hui, la technique poussée à ses limites les plus extrêmes conduit, selon les tenants de la Singularité, à une évolution fatale à l'issue de laquelle l'homme n'aurait plus aucune prise sur son avenir.

Au mieux, certains comme Eliezer Yudkowsky[122] assurent que la seule chose encore possible consisterait à infléchir le futur pour l'engager dans des scénarios « doux » avec des machines conciliantes qui nous protégeraient ; à cette fin, ils en appellent à une intelligence artificielle « amicale » (*friendly AI*) et prévenante qui satisferait nos besoins et prohiberait toute hostilité à notre égard. Cependant, cette bienveillance ne change rien au caractère tragique et inexorable d'un futur censé advenir inéluctablement, comme le destin dans les tragédies antiques, et nous déposséder de toute influence sur notre sort et, par là, sur notre devenir.

Ce tournant dans le cours du temps soulève de multiples interrogations sur l'homme, l'esprit, la mort, l'avenir… En considérant uniquement les événements marquants, début, fin, ruptures, et sans égard ni à notre perception individuelle de la durée, ni à notre conscience intime du flux de vécu, le temps se présente ici, dans la perspective de la Singularité technologique, sous une configuration bien particulière qui se rapproche d'autres déjà entraperçues dans le passé. Pour préciser les ressemblances et les dissemblances, considérons ici les bords, les limites, les discontinuités, les frontières du temps, autrement dit sa topologie, au sens mathématique d'une étude des propriétés invariantes sous l'effet de transformations continues d'étirement ou de contraction. Qu'on les allonge ou les raccourcisse, voire qu'on les gauchisse ou les distorde, peu importe, à condition qu'on ne les déchire pas, car seuls comptent ici les ruptures, les pourtours et l'horizon ultime.

Temps cyclique : l'éternel retour

Le retour des saisons, la répétition des généra-tions, la trajectoire des planètes, le rythme cos-mique… tout dans les sociétés traditionnelles évoque un temps cyclique où chaque instant revient un nombre infini de fois, où chaque geste réitère un geste antérieur, lui-même répétition d'un autre geste recommencé par d'autres depuis la nuit des temps. Dans *Le Mythe de l'éternel retour*[123], Mircea Eliade montre comment, dans les sociétés dites archaïques, primitives ou « premières », toute action répète une autre action déjà accomplie. Plus tard, avec la philo-sophie antique, les idées d'infinité et de répétition du temps se retrouvent sous des formes variées, que ce soit chez Aristote, chez Héraclite ou chez les stoï-ciens. La spiritualité hindoue évoque elle aussi un temps périodique en hélice, où la reproduction à l'identique des cycles n'exclut pas une progression. Plus proche de nous, Friedrich Nietzsche évoque dans *Le Gai Savoir*[124] ce temps de l'éternelle répéti-tion du même :

> Cette vie, telle que tu la vis actuellement, telle que tu l'as vécue, il faudra que tu la revives encore une fois, et une quantité innombrable de fois ; et il n'y aura en elle rien de nouveau, au contraire ! il faut que chaque dou-leur et chaque joie, chaque pensée et chaque soupir, tout l'infiniment grand et l'infiniment petit de ta vie reviennent pour toi, et tout cela dans la même suite et le même ordre – et aussi cette araignée et ce clair de lune entre les arbres, et aussi cet instant et moi-même.

> L'éternel sablier de l'existence sera retourné toujours à
> nouveau – et toi avec lui, poussière des poussières !

Nietzsche lui-même aurait été influencé par
Auguste Blanqui (1805-1881), un révolutionnaire
rebelle qu'on surnomma l'« enfermé » parce qu'il
passa la plus grande partie de son existence en prison. Sans doute, cet irréductible n'avait-il rien d'un
traditionaliste et refusait-il de se soumettre à l'autorité de ses pères. Pour autant, dans *L'Éternité par les
astres*[125], ouvrage qu'il écrivit vers la fin de sa vie,
en 1872, ce révolté perpétuel défendit une conception cyclique du temps. Loin d'y louer les vertus de
la transmission des coutumes de génération en génération, du rituel et du respect des maîtres et des
ancêtres, il adopte une position radicalement maté-
rialiste selon laquelle l'Univers serait infini dans le
temps et dans l'espace, sans début ni fin. Et, comme
les corps simples n'admettent qu'un nombre fini de
combinaisons, notre monde devrait, toujours selon
Blanqui, avoir une infinité de pendants identiques
dans le temps et dans l'espace… Il existe donc non
seulement une Terre jumelle, contrepartie exacte de
la nôtre, mais une infinité de Terres jumelles qui,
pareilles en tout point à la nôtre, accueillent des
hommes, répliques exactes de nous-mêmes, aux vies
strictement identiques aux nôtres… Ce que chacun
d'entre nous vit ici, sur cette Terre, d'autres l'ont
donc vécu et d'autres encore le vivront un nombre
infini de fois sur d'autres Terres…

Retour indéfini du même, recommencement per-
manent à l'identique, répétition sempiternelle,
retournement perpétuel de « l'éternel sablier de

l'existence », tout cela renvoie à la topologie du cercle, sans début ni fin, que l'on parcourt une infinité de fois pour revisiter les mêmes instants sans que rien ne change jamais.

Temps segmentaire

Avec les religions révélées, une topologie nouvelle se fait jour avec un début, la création du monde, Genèse puis jardin d'Éden, et une fin, la parousie, retour du Christ glorieux pour les chrétiens, venue du Messie pour les Juifs, avec la résurrection des morts et le jour du Jugement dernier. Entre les deux adviennent comme autant de césures du temps, des événements remarquables : Exode, don de la Loi à Moïse sur le mont Sinaï, naissance du Christ, etc. On mentionne aussi, ici ou là, des prophéties ou des révélations annonciatrices du futur qui opèrent des trouées dans le temps. Néanmoins, ces soubresauts ne changent rien à la structure segmentaire de l'écoulement du temps muni de deux extrémités, une origine et un instant ultime. Ajoutons que cette finitude s'accompagne d'un dehors transcendant, d'une extériorité, d'une espérance de sortie du temps et d'accès à l'éternité. La fin des temps ne se comprend que dans cette perspective d'ouverture à un au-delà du temps.

Ligne infinie

Avec la modernité d'abord, puis plus encore avec les Lumières, s'impose une vision homogène du temps et de l'espace, surtout du temps qui se déploie à l'infini, sans rupture, et sans que rien n'autorise à lui assigner un terme. Quoi de plus caractéristique de cette représentation que l'idée de progrès exprimée par Condorcet dans l'*Esquisse d'un tableau historique des progrès de l'esprit humain*[126] comme étant indéfini en « deux sens dont le mot *indéfini* est susceptible » : indéfini en cela qu'il n'est pas défini et qu'il « approche continuellement d'une étendue illimitée, sans pouvoir l'atteindre jamais » et « [indéfini] dans le sens le plus absolu, puisqu'il n'existe pas de borne, en deçà de laquelle [les progrès] doivent s'arrêter ».

Cette marche continue qui se poursuit sans cesse en direction d'un point ultime situé à l'infini, sans jamais l'atteindre, et qui excède toute limite assignable, dessine une ligne qui ne revient jamais sur elle-même et croît toujours, sans cesse. Du point de vue topologique, une telle ligne s'assimile à une droite.

Temps « brisé »

En parallèle aux religions monothéistes, les courants gnostiques adoptaient un schéma temporel différent des précédents, et selon lequel, après une création ratée, œuvre d'un faux démiurge qui usurpa le pouvoir du vrai Dieu, un cataclysme salvateur rédimera le monde et rétablira enfin la souveraineté légitime. Il en résulte une figure brisée en marche d'escalier avec une discontinuité au-delà de laquelle s'imposera un nouvel ordre juste et harmonieux.

Comme nous l'avons déjà suggéré, la Singularité technologique adopte un schéma temporel identique où une rupture advient pour rédimer le monde en en changeant le cours. La seule interrogation porte sur le palier ultérieur qui apportera soit, pour les plus optimistes, l'accès à une vie éternelle, soit la fin du futur de l'homme, soit encore, dans une version noire, l'extinction de l'humanité.

Ramures du futur

À ces topologies générales du temps s'ajoute l'éventuelle prise en compte de la liberté qui ferait naître une multitude infinie de futurs possibles et donc une ramure d'incertitudes. En effet, si le passé s'envisage comme la succession de tout ce qui a été, autrement dit comme une ligne, le futur, ou plus précisément, le futur contingent, demeure encore gros de tous les possibles. On peut alors le représenter comme un rameau dans lequel chaque embranchement correspondrait à une décision libre et donc potentiellement indéterminée, ce qui fait naître différentes ramures, chacune d'entre elles ouvrant à son tour la possibilité d'autres choix et en conséquence d'autres ramures et ainsi de suite, jusqu'à la fin des temps. Il s'ensuit un temps à l'allure ramée, arborescente, avec un tronc linéaire, qui correspond au passé, puis le branchage d'où s'élancent les ramures qui se subdivisent à l'infini.

Sans doute, des esprits imaginatifs iront jusqu'à suggérer une ramure symétrique du passé qui ferait de chaque présent la conclusion de multiples histoires fictives. Mais nous n'en parlerons pas, puisque nous nous concentrons ici sur le futur.

Cette figure d'un temps arborescent vaut indubitablement pour le temps linéaire de la modernité qui déploie ses multiples ramures à l'infini, car on y reconnaît à l'homme une liberté pleine et entière d'action et de prise en main de son destin. En revanche, elle ne se panache pas au temps cyclique de la tradition car, comme le dit Nietzsche dans le passage du *Gai Savoir* que nous avons précédemment mentionné, «[…] il faut que chaque douleur et chaque joie, chaque pensée et chaque soupir, tout l'infiniment grand et l'infiniment petit de ta vie reviennent pour toi, et tout cela dans la même suite et le même ordre». Aucun choix ne subsiste, seulement des illusions de décision, puisque tout revient à l'identique dans la même séquence, et ce, une infinité de fois. La topologie du cercle caractéristique du temps de la tradition n'admet qu'une ligne unique qui se mord la queue sans aucune bifurcation, ni ramée, de quelque ordre qu'elle soit.

Dans le cas du temps segmentaire des religions révélées, le début et la fin subsistent, sans modification possible, le début, parce qu'il préexiste à l'homme et qu'il ne fait donc l'objet d'aucun choix, la fin parce que, moment ultime, elle apparaît comme un horizon idéal, parousie pour le christianisme, Jugement dernier pour le judaïsme et l'islam. Entre les deux, les hommes agissent librement, soit en conformité, soit en opposition au bien ; la liberté est essentielle, sinon il n'y aurait ni jugement, ni pardon, ni paradis, ni enfer. À chaque instant, le futur se présente donc à nous comme ramé ; pourtant, toutes ces ramures du temps convergent vers l'instant ultime. Apparaissent donc des espèces de fibres qui se disjoignent et se démultiplient un nombre indéfini de fois, avant de se rejoindre toutes à l'instant final. Cela ressemble à une espèce de faisceau renflé de toutes nos libertés et de tous nos choix potentiels entre ces deux extrémités que seraient l'origine et le terme des temps.

Sans doute, cette figure d'un futur fastigié subsiste-t-elle dans le temps brisé de la gnose et de la Singularité technologique, du moins jusqu'au point de rupture. La ramure du futur se maintient jusque-là, car la gnose – et il en va de même avec la théorie de la Singularité technologique – présuppose la liberté humaine, tout au moins dans le monde imparfait où nous vivons. À défaut, les efforts des gnostiques et leurs annonces réitérées demeureraient vains. Mais qu'en sera-t-il après le grand cataclysme, dans le monde idéal où certains d'entre nous se retrouveront peut-être pour vivre éternellement ? Par définition, la perfection ne tolère pas le mal et *a fortiori* ni l'incertitude, ni l'indétermination. Pourquoi choisir dans un monde réparé et rédimé conforme à un idéal de perfection où seul le bien subsisterait ? Cela ne signifie pas que les hommes n'auraient plus de penchants, mais que l'on anticiperait et satisferait immédiatement leurs désirs. À l'issue de la discontinuité majeure, seul se maintiendra un temps linéaire, sans futur, du moins sans futur contingent, car sans aléas ni errements, et donc sans autre possibilité que la nécessité. Et c'est bien à une telle négation du futur du futur que se référait Bill Joy dans le fameux article qu'il écrivit à l'orée du XXIᵉ siècle.

Catastrophe et catastrophismes

Après avoir esquissé la forme du futur d'avant et d'après la Singularité, puis l'avoir distingué des autres futurs, qu'ils soient circulaires, segmentaires ou linéaires, penchons-nous maintenant sur le point de rupture, sur la brisure que constitue la Singularité. Nous qualifierons cette torsion du temps de *catastrophe* du fait qu'outre ses conséquences dramatiques, elle advient dans l'histoire comme un grand tournant, comme un basculement majeur, comme un saut dans l'au-delà de l'humain. Rappelons que le mot catastrophe vient du grec *catastrophè*, forgé lui-même à partir du préfixe *cata-* qui signifie « vers le bas », et de la racine *strophè*, qui veut dire « tournant », « retournement ». À cet égard, les deux notions de singularité et de catastrophe apparaissent semblables. D'ailleurs, sur un registre purement formel, le mathématicien René Thom[127] considérait déjà la théorie des catastrophes comme un cas particulier de la théorie des singularités[128].

Retour du tragique

Indépendamment de la violence de son irruption et de son ampleur qui l'une et l'autre remplissent d'effroi, la Singularité technologique nous est aussi présentée comme inéluctable. Elle ne laisse aucune part à l'homme pour choisir, décider et agir. Elle surgit devant nous et nous désarme. Nous nous retrouvons face à elle comme face à la fatalité, car elle nous oppose des forces qui nous dépassent et contre lesquelles nous ne disposons d'aucune prise. En cela elle dessine un scénario digne des tragédies antiques… Elle tire d'ailleurs son origine de romans de science-fiction de Vernor Vinge, qui s'inspirent eux-mêmes d'une tradition plus ancienne, en particulier des rêveries du mathématicien Stanislaw Ulam sur l'accélération exponentielle des progrès de la technologie, suivies d'une nouvelle d'Isaac Asimov publiée dès les années 1950 et des hypothèses du statisticien Irvin John Good au début des années 1960 sur les machines ultra-intelligentes. Toutes ces intrigues dessinent un avenir impitoyable, une espèce de maelström temporel implacable qui emporte inexorablement l'homme vers un funeste destin, un destin tragique tel celui que révèle l'Apocalypse de saint Jean lorsque le quatrième cavalier juché sur son cheval pâle conjugue l'annonce de la mort à celle de la Rédemption…

Comment ne pas se réjouir de cette symbiose de la technologie contemporaine et d'une mythologie pluriséculaire qui concourt à un retour du tragique dans l'hypermodernité ? Le malaise tient ici non au scénario lui-même, mais au mélange des genres et à l'usurpation qu'il sous-tend : des scientifiques de renom, des chefs d'entreprise richissimes et des ingénieurs réputés abusent de leur autorité pour donner crédit à des fables populaires, alors qu'ils laissent accroire bien autre chose. Que l'on se comprenne bien : personne ne songe à ôter aux scientifiques le droit de raconter des histoires pour amuser ou pour transmettre des connaissances, mais à condition de bien séparer ce qui relève de la fiction de ce qu'ils prouvent en ayant recours aux méthodes scientifiques. À défaut, l'absence de distinction conduit à la confusion. Une telle attitude occulte le futur, car en mettant en scène un scénario unique présenté comme fatal, elle masque les alternatives, leurs conséquences et les degrés de liberté qui s'offrent aujourd'hui à l'action humaine. Il appartient aux scientifiques, dans la mesure de leurs compétences propres, d'indiquer les possibles et les probables pour aider les hommes à se déterminer et à agir. Il en va de leur responsabilité. Cette posture adoptée au début de l'ère moderne permit les progrès considérables que l'on connaît. Malheureusement, aujourd'hui, il semble que certains abusent de leur autorité en annonçant, sous couvert de leurs compétences, des catastrophes absurdes. Ce faisant, ils n'assument plus leurs responsabilités d'hommes de savoir. Néanmoins, ce qui vaut pour certaines prédictions ne vaut pas pour toutes, loin de là, car toutes les prédictions, fussent-elles des prédictions de catastrophes, ne relèvent pas du même registre.

Marchands de catastrophes

D'une manière générale, nous sommes friands de ces événements bouleversants que sont les catastrophes. Non pas que nous désirions en faire l'expérience personnelle, mais les récits de catastrophes de toutes sortes, anciennes, futures, réelles, imaginaires, etc., nous émeuvent et alimentent notre imaginaire. Journaux, films, romans convoquent tous les types de catastrophes, meurtres, accidents de voiture, tremblements de terre, incendies, guerres, opérations chirurgicales, etc. Les conteurs de tous ordres, journalistes, écrivains, scénaristes, sont demandeurs de catastrophes à exploiter. Ceux qui narrent avec talent les catastrophes passées accèdent à la notoriété. Ceux qui annoncent des catastrophes futures deviennent plus célèbres encore. Ils captivent, d'autant plus que chacun se sent concerné. Malgré leurs affabulations, ils ne risquent rien, car personne ne viendra se plaindre de ce que la catastrophe ne se soit pas produite. Ce commerce des catastrophes traverse l'histoire. Nous appelons « marchands de catastrophes » le métier très ancien de ceux qui font profession d'imaginer ou de raconter des catastrophes d'une façon outrée et intéressée.

Les catastrophes annoncées par les marchands de catastrophes demandent à être plausibles, au sens étymologique qui dérive, comme nous venons de le voir, la même souche latine qu'applaudir. En effet, pour se vendre, elles doivent susciter la crédulité et l'adhésion populaire. Et il vaut mieux qu'elles soient possibles, que rien de trop visible n'interdise leur réalisation, même si cela n'est pas absolument nécessaire. Quant à leur probabilité, personne ne se donne le mal de l'évaluer, car cela ne fournit aucun argument supplémentaire pour convaincre les crédules.

Le catastrophisme éclairé

À l'opposé de ce catastrophisme vulgaire, il existe une autre forme d'anticipation des catastrophes qui se fonde non sur un scénario imaginaire unique, mais sur le calcul rationnel de la probabilité qu'arrivent des événements inopinés, déroutants et d'une violence inouïe. Avec les technologies en général, et avec les technologies du numérique en particulier, le péril ne tient plus tant à des risques précis, puisque, lorsque l'on s'attend à ce qui arrive, on peut espérer disposer du temps et des capacités requises pour y parer, mais à des dangers soudains et imprévus, parce que jamais manifestés dans le passé. Ainsi, les accidents nucléaires comme ceux de Tchernobyl ou Fukushima ne provenaient pas de causes prévisibles, mais d'une série d'événements, éventuellement probables, mais dont l'enchaînement se révéla inattendu. Par exemple, dans le cas de Fukushima, un séisme de magnitude 8,9 sur l'échelle de Richter conduisit à l'arrêt automatique des réacteurs nucléaires. Les désintégrations nucléaires continuant à dégager de la chaleur, il fallut assurer le refroidissement immédiat des réacteurs. Or le séisme provoqua aussi l'arrêt de l'alimentation électrique des circuits de refroidissement. Qui plus est, un raz-de-marée, consécutif lui aussi au séisme, atteignit une amplitude supérieure à 14 mètres qui submergea les digues prévues uniquement pour des vagues inférieures à 6 mètres. Cela mit hors-service les centrales diesels des générateurs électriques de secours censés alimenter les pompes des circuits de refroidissement à eau en cas d'arrêt des alimentations électriques normales. De ce fait, pendant de longues heures, la température des réacteurs augmenta sans que l'on soit en mesure d'injecter de l'eau pour les refroidir. À cela s'ajouta la désorganisation due aux effets du tremblement de terre et du tsunami, qui ralentit l'arrivée des secours… Au cours des jours qui suivirent, la hausse des températures se poursuivit, conduisant successivement à des pertes d'étanchéité des cuves, à la fusion de barres de combustibles, à des échappements de gaz radioactifs puis à diverses explosions. Cet enchaînement d'événements dramatiques apparaissait totalement imprévisible ; c'est la raison pour laquelle on ne l'avait pas anticipé tel quel. Si on l'avait conjecturé, rien d'aussi catastrophique ne se serait produit. Et il en va de même pour la plupart des accidents d'avion et des autres catastrophes contemporaines.

Jean-Pierre Dupuy, qui est mathématicien, économiste et philosophe, propose de promouvoir une approche scientifique de ces catastrophes. Il décrit leur rôle dans l'évolution, par exemple, lors de l'extinction des dinosaures, et il plaide pour un « catastrophisme éclairé[129] » qui nous préparerait à être surpris par les catastrophes consécutives aux progrès technologiques. Selon lui, même si la probabilité de chaque accident technologique demeure très faible et apparemment négligeable, la probabilité qu'un accident surprenant advienne se révèle fort élevée. En effet, le nombre total d'accidents potentiels étant extrêmement grand et ceux-ci étant indépendants les uns des autres, la probabilité de l'un quelconque correspond à la somme des probabilités de chacun, et la somme d'un très grand nombre de quantités infinitésimales n'est pas nécessairement infinitésimale…

La différence avec le catastrophisme ordinaire tient ici au caractère imprévu de ce qui adviendra. Là où le catastrophisme ordinaire insiste sur la conformité à un scénario unique déjà écrit, le catastrophisme éclairé nous prépare à un événement inattendu sans lui assigner, par avance, de forme particulière. De ce fait, selon que l'on se place dans le contexte du catastrophisme ordinaire ou du catastrophisme éclairé, le mot catastrophe prend deux sens différents.

Dans la première éventualité, qui correspond à ce que nous avons qualifié de catastrophisme des marchands, la catastrophe demande à être vraisemblable afin que beaucoup se convainquent, avec des arguments aisés à comprendre, qu'elle se produira effectivement en dépit de tous nos efforts. Cela passe par une pédagogie, ou plutôt une publicité de la catastrophe, annoncée, décrite, scénarisée et présentée avec luxe détails, ce qui sous-entend un synopsis précis, avec un canevas très bien noué.

En revanche, dans le second cas de figure, celui du catastrophisme éclairé, on ne considère que les catastrophes invraisemblables et indéfinies, puisque seules celles-là nous surprennent. Les premières, celles que l'on anticipe, nous laissent en principe le temps de nous préparer et de nous prémunir contre leurs effets adverses : en cela, la plupart d'entre elles ne se présentent pas vraiment comme des catastrophes, mais seulement comme des problèmes qui demandent à être résolus. Et même dans l'éventualité terrifiante d'un événement dramatique, par exemple d'une collision de la Terre avec une grosse météorite qui provoquerait un changement climatique majeur, voire une modification de l'orbite terrestre, l'anticipation du choc, prévisible assez longtemps à l'avance, obligerait à s'accoutumer à l'événement, diluant pour ainsi dire dans le temps sa prise de conscience de sorte qu'il ne s'agirait plus d'une catastrophe au sens usuel, soudaine et imprévue. En revanche, dans la seconde acception de la catastrophe, l'insurmontable provient non de l'inéluctabilité, mais de la soudaineté : l'événement surprend et déroute car, du fait de son invraisemblance, il échappe à nos anticipations et nous prend de court. Ainsi, une épidémie qui s'annonce laisse aux scientifiques le temps de chercher un vaccin, un remède et des mesures prophylactiques pour éviter sa propagation. La plupart du temps, le vrai danger vient de l'inconnu. Et l'attitude éthique demande à y être ouvert. Cela s'accorde avec de nombreuses autres approches philosophiques, comme celles de Hannah Arendt[130], Günther Anders ou Ivan Illich, auxquels Jean-Pierre Dupuy se réfère abondamment dans son travail.

Pseudomorphose
de l'humanisme des Lumières

Revenons maintenant à la Singularité technologique. Elle appartient, à l'évidence, à ce que nous appelons ici le catastrophisme ordinaire, car ses prophètes l'annoncent avec assurance comme inéluctable et en décrivent le déroulement avec précision, sans laisser de part ni à l'imprévu, ni à l'action humaine, ni à la liberté. En revanche, du fait de sa vraisemblance supposée, elle ne relève aucunement du catastrophisme éclairé de Jean-Pierre Dupuy. Ajoutons que, comme nous l'avons vu précédemment, les pronostics des tenants de la Singularité technologique ne se fondent pas sur des démonstrations étayées[131, 132]. Le grand public est abusé par la notoriété de ses partisans, qu'il s'agisse de scientifiques comme Stephen Hawking, ou de grands patrons de l'industrie comme Elon Musk.

Au demeurant, cette perspective n'est pas simplement erronée au plan épistémique, du fait qu'aucune preuve scientifique tangible ne la valide, elle apparaît aussi répréhensible au plan moral en ceci qu'en concentrant l'attention vers un scénario particulier, elle détourne les regards d'autres risques possibles et contribue à les occulter. Ainsi, loin de nous préparer à l'imprévu, elle opacifie le futur et met notre clairvoyance en défaut.

Au reste, outre son caractère improbable, le monde vers lequel ses adeptes veulent nous conduire apparaît à la fois opposé aux valeurs traditionnelles de modération[133], de par l'*hubris** irréfrénée dont il est le produit, et très inégalitaire[134], puisqu'en dépit de ce que prétendent les tenants de l'intelligence artificielle amicale (*friendly AI*), il semble difficile d'échapper à une scission de l'humanité en deux, ceux qui bénéficieraient des avantages d'un téléchargement de la conscience, et les autres, laissés-pour-compte. Mais, au-delà des injustices potentielles auxquelles sa réalisation amènerait, au-delà de ce qui est fallacieux, illusoire, trompeur, immoral et dangereux dans sa proclamation, la Singularité rompt avec l'humanisme. À cet égard, elle se distingue d'une forme de transhumanisme biologique qui, comme le mentionne Luc Ferry dans *La Révolution transhumaniste*[135], « se situe volontiers dans la continuité d'un humanisme "non naturaliste" ». Elle correspond bien plus à ce que Luc Ferry appelle le « posthumanisme cyberné-

---

* Du grec *hybris*, qui signifie « démesure », « arrogance », l'*hubris* désigne le sentiment d'ivresse que procure une confiance excessive en soi-même.

tique » dont « l'inquiétant projet cybernétique » vise, toujours selon Luc Ferry, à « une hybridation systématique homme/machine mobilisant la robotique et l'intelligence artificielle davantage que la biologie ».

En effet, si elle advenait, la volonté humaine deviendrait vaine, quoi qu'il arrive, que l'humanité disparaisse à jamais, que les machines qu'elle a fabriquées l'asservissent ou même, dans l'hypothèse optimiste, qu'elle s'hybride à la technologie et se télécharge sur des supports informationnels. Dans la première éventualité, la question ne se poserait plus, puisque l'humanité n'existerait plus. Dans la seconde, il ne saurait plus être question de volonté, puisque, réduite en esclavage, dans un état où seule importerait sa subsistance animale, l'humanité perdrait à jamais toute espérance d'affranchissement. Quant à la troisième, la plus étrange assurément, elle verrait tous les désirs s'exaucer quasi instantanément. Dès lors, puisque rien ne résisterait, l'homme ne se dissocierait plus du reste du monde ; il s'identifierait au monde et sa volonté se dissoudrait. Il vivrait un temps plat où plus rien n'adviendrait pour lui. En d'autres termes, il se transformerait en un Dieu. Bref, on nous annonce la disparition du statut intermédiaire de l'homme, ni céleste, ni terrestre, ni mortel, ni immortel, si cher à la tradition humaniste et que l'on retrouve dès l'origine, entre autres, chez Pic de la Mirandole :

> [Dieu] prit donc l'homme, cette œuvre indistinctement imagée, et l'ayant placé au milieu du monde, il lui adressa la parole en ces termes : « Si nous ne t'avons donné, Adam, ni une place déterminée, ni un aspect qui te soit propre, ni aucun don particulier, c'est afin que la

place, l'aspect, les dons que toi-même aurais souhaités,
tu les aies et les possèdes selon ton vœu, à ton idée.
Pour les autres, leur nature définie est tenue en bride
par des lois que nous avons prescrites : toi, aucune res-
triction ne te bride, c'est ton propre jugement, auquel je
t'ai confié, qui te permettra de définir ta nature. Si je
t'ai mis dans le monde en position intermédiaire, c'est
pour que de là tu examines plus à ton aise tout ce qui se
trouve dans le monde alentour. Si nous ne t'avons fait
ni céleste ni terrestre, ni mortel ni immortel, c'est afin
que, doté pour ainsi dire du pouvoir arbitral et honorifique de te modeler et de te façonner toi-même, tu te
donnes la forme qui aurait eu ta préférence. Tu pourras
dégénérer en formes inférieures, qui sont bestiales ; tu
pourras, par décision de ton esprit, te régénérer en
formes supérieures, qui sont divines. » [136]

Dépouillé de ce « pouvoir arbitral et honorifique
de [se] modeler et de [se] façonner [lui-même] »,
l'homme d'après la Singularité n'aurait plus le pouvoir ni de « dégénérer en formes inférieures », ni, par
décision de son esprit, de se « régénérer, en formes
supérieures », ce qui signifie que sa volonté n'aurait
plus d'objet.

Outre cette dissolution de la volonté – et peut-être
corrélativement à cette dissolution – l'homme s'« ins-
tallerait » à une place bien définie, dans un monde
sans transcendance et sans extériorité. À n'en pas douter, cela signifierait la fin de ce qu'a été la condition
humaine depuis les origines, condition qu'exprime si
bien un petit texte de Günther Anders [137] traduit en
français par Emmanuel Levinas :

À l'être possédant un a priori et intégré au monde dans
l'adéquation au besoin, s'oppose l'homme. Privé de

matière a priori, tributaire des réalités qu'il n'est pas et qu'il lui faut réaliser au préalable, il est si étranger, si mal ajusté au monde, si détaché de lui, qu'il pose la question étrange de la réalité du monde extérieur.

Au motif d'offrir à l'homme les moyens de se perpétuer en échappant à la mort et d'éviter la souffrance, les partisans de la Singularité technologique nous proposent un ajustement parfait au monde, une adaptation idoine aux réalités extérieures. Il s'ensuit un enfermement définitif dans une forteresse sans issue. L'être se retrouverait alors à jamais emprisonné, puisque toute action libre dérogerait à la perfection, enfin établie, du monde. Nous avons vu[138] que la notion de pseudomorphose dissociait, de façon imagée, les gnoses des religions abrahamiques dont elles disaient s'inspirer ; nous avons vu aussi qu'elle distinguait, de façon tout aussi imagée, l'intelligence artificielle forte – et l'intelligence artificielle générale qui relève du même principe totalisant –, de l'intelligence artificielle originaire. De façon analogue, la Singularité technologique se présente aussi comme une pseudomorphose de l'humanisme des Lumières. *A priori*, même aspiration à une domination de l'homme sur la nature, même ambition illimitée, même forme extérieure donc, comme dans une pseudomorphose, mais là où l'humanisme voyait un déploiement indéfini du progrès, sans bornes et sans limites, et en conséquence, une ouverture infinie, la Singularité clôture le futur sur un terme parfaitement défini…

8

Charité ensorcelée

Les pompiers pyromanes

Beaucoup des grands acteurs de la toile, que l'on range souvent en France sous le sigle de GAFA, voire de GAFAM, de NATU ou encore sous l'appellation de « géants du web », assurent à grands frais la promotion de la Singularité technologique*. Pour s'en convaincre, rappelons les déclarations de Bill Gates et d'Elon Musk, ou les noms des grandes sociétés qui financent l'Université de la Singularité.[139] – Nokia,

---

* GAFA désigne Google, Amazon, Facebook et Apple, avec parfois en sus Microsoft, auquel cas on parle de GAFAM. Notons cependant que ce terme est surtout usité en France pour désigner une puissance quelque peu occulte et extrêmement inquiétante, aussi nous ne la reprendrons pas dans la suite pour ne pas biaiser l'analyse.

Plus récent que GAFA ou GAFAM, mais construit sur un principe analogue, le sigle NATU désigne les quatre grandes entreprises les plus emblématiques de la « disruption » numérique, Netflix, Airbnb, Tesla, et Uber.

Il arrive aussi qu'on évoque les « géants du web » pour désigner toutes ces entreprises, ce qui englobe encore d'autres grands acteurs comme Twitter, Yahoo ou Paypal.

Cisco, Genentech, Autodesk, Google, etc. –, ou encore le don très généreux de 10 millions de dollars fait par Elon Musk[140] à l'Institut du futur de la vie et le recrutement de Ray Kurzweil par Google en décembre 2012. Quant aux scientifiques ou aux philosophes qui annoncent avec le plus de vigueur la Singularité, beaucoup, comme Stuart Russell ou Nick Bostrom, perçoivent des fonds en provenance d'institutions elles-mêmes financées par les industriels susmentionnés[141]. Ce sont donc les figures majeures de l'industrie de l'information, du web et des télécommunications qui soutiennent de leurs largesses les zélateurs de l'hypothèse de la Singularité.

L'affaire ne manque pas de sel, car ceux-là mêmes que l'on considère comme responsables du développement massif et accéléré des technologies de l'information nous avertissent des dangers majeurs que ces mêmes technologies font courir au reste de l'humanité. Nous nous trouvons donc devant des « pompiers pyromanes », qui, tout en allumant volontairement un incendie, font mine d'essayer de l'éteindre pour se donner le beau rôle. Emblématique, Google promet de mettre en place un comité d'éthique chargé d'édicter une charte éthique universelle des technologies pour prévenir les violations des valeurs humaines, de la démocratie et des normes du Bien, alors que cette entreprise elle-même enfreint sans vergogne les règlements européens, tout en se moquant des requêtes individuelles invoquant le droit à l'oubli… Les motivations ultimes de ces sociétés demeurent d'autant plus obscures qu'usuellement elles ne cultivent pas la philanthropie. Nous voudrions ici, en guise de conclusion, émettre trois hypothèses sur ce qui inciterait ces sociétés à promouvoir la Singularité.

Hubris

La première de ces hypothèses tient à l'ivresse de la démesure, à l'*hubris* des patrons des grandes sociétés du web. En peu d'années, ces personnalités, souvent très jeunes, parvinrent à changer la société tout en réalisant des capitalisations boursières inouïes, jamais observées auparavant, à une vitesse stupéfiante. Tout leur sourit. Elles ne voient aucune limite à leurs conquêtes. Les succès récents obtenus avec les techniques d'apprentissage profond et le traitement de grandes masses de données les encouragent. Elles sont assurées de posséder les clefs du futur et, avec elles, d'être en mesure d'ouvrir une ère nouvelle pour l'humanité. Pour paraphraser Karl Marx et Arthur Rimbaud, elles pensent qu'après avoir transformé le monde elles découvriront bientôt *des secrets pour changer la vie*… Et elles en tirent orgueil, puisqu'elles croient être les initiatrices de ces évolutions. La dénomination « Institut du futur de la vie » illustre bien cette ambition de changer la vie ; il en va identiquement de la société de biotechnologie Calico[142] qui, fondée en 2013 par Google, part en quête des principes biologiques du vieillissement pour s'en libérer et accroître indéfiniment la longévité. Le conte de la Singularité technologique paraît donc, à première vue, entrer en parfaite adéquation avec l'exaltation de la technologie manifestée par ces géants du web.

À certains égards, cet engouement pour les prouesses des sciences et pour les évolutions qui s'ensuivront reconduit le projet humaniste issu de la philosophie des Lumières. Pour s'en convaincre, rappelons le passage de l'*Esquisse d'un tableau historique des progrès de l'esprit humain* où Condorcet s'interroge sur un allongement possiblement indéfini de la durée de la vie humaine[143] :

> Serait-il absurde, maintenant, de supposer que ce perfectionnement de l'espèce humaine doit être regardé comme susceptible d'un progrès indéfini, qu'il doit arriver un temps où la mort ne serait plus que l'effet, ou d'accidents extraordinaires, ou de la destruction de plus en plus lente des forces vitales, et qu'enfin la durée de l'intervalle moyen entre la naissance et cette destruction n'a elle-même aucun terme assignable ?

En dépit de ces rapprochements, nous l'avons vu, l'annonce de la Singularité technologique dément l'idéal de progression indéfinie des progrès humains qu'énonce Condorcet. Ses adeptes supputent non une évolution continue et illimitée, comme annoncée par les Lumières, mais une césure au-delà de laquelle l'humanité basculerait dans l'au-delà de l'humain. Avec l'hypothèse de la Singularité, une inquiétude sourde semble donc tempérer l'enthousiasme de chercheurs et d'ingénieurs éblouis par leurs propres réalisations. Ils nous avertissent de changements inéluctables, de dangers terrifiants et des moyens, non de les éluder, puisqu'ils adviendront inévitablement, mais d'en amoindrir les conséquences néfastes. Or, cette inquiétude ne concorde pas avec l'*hubris*, même si celle-ci conserve certainement une part dans l'adhésion à la Singularité.

Économie du partage – et du désastre

Cela conduit à émettre une seconde hypothèse selon laquelle l'intérêt que portent les « géants du web » à la Singularité proviendrait non de l'*hubris* seule, mais aussi d'un sentiment mêlé d'enthousiasme et de fragilité, d'absence de contrôle et de perte d'autonomie, auquel la Singularité ferait elle-même écho. Cela apparaît un peu surprenant au premier abord, vu l'empire qu'ont pris ces compagnies sur le monde. Pourtant, contrairement à ce que les sigles GAFA ou GAFAM ou encore NATU laissent entendre, on constate que, considéré isolément, chacun des grands acteurs de la toile vit l'évolution comme aléatoire et anxiogène, car impossible à maîtriser. À la différence des grands capitaines d'industrie du XIXe et du XXe siècle qui, par leur détermination, imprimaient une marque personnelle à leur entreprise et au monde en définissant, par eux-mêmes, les grandes orientations stratégiques qu'ils souhaitaient impulser, les dirigeants des grandes sociétés actuelles semblent désormais faire preuve d'une forme inédite d'humilité : ils écoutent les utilisateurs ; ils les sollicitent en permanence ; ils leur demandent incessamment leurs avis sur tout et rien pour recueillir leurs goûts, leurs penchants et leurs inclinations ; ils les profilent ensuite pour anticiper leurs désirs ; et, plus que tout, ils cherchent à connaître leurs intentions et à

deviner leurs sautes d'humeur en fouillant la blogo-
sphère... L'accent mis, ces dernières années, sur
l'exploitation de grandes masses de données, provient du besoin de dégager les grandes tendances et
de percevoir les « signaux faibles » trahissant, à partir de la somme immense d'information recueillie,
les prémices de tel ou tel mouvement d'opinion
avant qu'il ne se cristallise. On cherche à répondre
au plus vite aux critiques, dès qu'elles sont formu-
lées, et à saisir au plus tôt les opportunités d'innovation, dès qu'elles semblent poindre. Tout cela prit
son essor en 2004, avec la naissance du « web 2.0 »
qui, lui-même, prenait la relève de pratiques plus
anciennes, ancrées dans les habitudes des fabricants
de logiciels. Le principe repose sur l'exploitation
systématique des retours d'usage pour améliorer
continûment la conception des biens de consommation. À une organisation hiérarchique traditionnelle
où, partant d'une idée générale formulée par les
dirigeants, on demandait aux ingénieurs de s'occu-
per de la conception et de la mise en œuvre, puis
aux ouvriers de s'atteler à la réalisation matérielle,
avant de recourir à des commerciaux pour la vendre
aux consommateurs sous forme de produits manu-
facturés, on oppose maintenant une organisation
cyclique dans laquelle les utilisateurs, les ingénieurs, les commerciaux et les dirigeants inter-
viennent tour à tour dans un processus itératif de
conception, de réalisation et de vente. Rappelons
que le « 2.0 » naquit après l'éclatement de la bulle
spéculative des années 2000 suscitée par la « net-
économie ». Il s'agissait, à l'époque, de comprendre
les raisons de l'échec de certaines entreprises du

web et du succès d'autres. On accusa les principes économiques, au fondement du développement industriel classique, d'être inappropriés au monde de l'internet. On mit alors en place de nouveaux principes fondés sur la collaboration et la prise en considération des contributions de chacun. En cela, le « 2.0 » doit être vu non comme une nouvelle génération du web, mais comme une réécriture de l'économie du web, réécriture s'entendant ici au sens qu'il a en informatique lorsqu'on prend un logiciel et qu'on décide d'en rédiger une version totalement nouvelle, sans réutiliser ni rafistoler l'ancienne. Il n'y eut là aucune évolution technique notable : tous les outils informatiques nécessaires à la mise en place d'un web participatif existaient auparavant et étaient déjà employés. En revanche, cela se présenta comme une forme inédite d'organisation de la production industrielle dans laquelle le consommateur se retrouve au centre et contribue par ses choix, par ses comportements, par ses appréciations, éventuellement même par ses suggestions, à la conception. Dans ce contexte, les industriels se soumettent aux humeurs d'une opinion publique qui les dépasse. Dès lors, ils ne maîtrisent plus les évolutions ; ils ne les anticipent pas non plus ; ils se contentent de les observer et de traduire, du mieux qu'ils peuvent, ce qu'ils croient être les aspirations, les désirs, les besoins des utilisateurs, afin de conserver leur confiance et de l'emporter sur leurs concurrents.

Il en résulte une extrême fragilité des empires industriels actuels, même des plus puissants comme IBM : ceux qui se constituèrent en quelques années (songeons que Facebook date de 2004, Twitter de 2006, Airbnb de 2008, Uber de 2009 et Google, le plus ancien, de 1998) peuvent basculer plus vite encore avant de tomber dans l'oubli. Qui se souvient des premiers moteurs de recherche comme Lycos ou Altavista ? Comme le suggère Luc Ferry dans *La Révolution transhumaniste*, l'économie collaborative engendre une rivalité et une compétition féroces jamais observées auparavant :

> L'économie moderne fonctionne comme la sélection naturelle chez Darwin : dans une logique de compétition mondialisée, une entreprise qui ne s'adapte pas et qui n'innove pas presque chaque jour est une entreprise vouée à disparaître. De là le formidable et incessant développement de la technique, rivé à l'essor économique et largement financé par lui. De là aussi le fait que l'augmentation de la puissance des hommes sur le monde est devenue un processus en réalité automatique, incontrôlable et même aveugle, puisqu'il dépasse de toute part non seulement les volontés individuelles conscientes, mais aussi celles des États-nations pris isolément. Il n'est plus que le résultat nécessaire et mécanique de la compétition [144].

Notre monde devient incontrôlable, même, et peut-être surtout, pour ceux qui en tirent le plus profit et qui, de ce fait, paraissent le dominer. Autrement dit, toujours en citant Luc Ferry :

> contrairement à l'idéal de civilisation hérité des Lumières, la mondialisation technicienne est réellement un processus à la fois incontrôlable en l'état actuel du monde et définalisé, dépourvu de toute

espèce d'objectif défini. En clair, nous ne savons ni où nous allons ni pourquoi nous y allons[145].

On conçoit que cette instabilité et cette imprévisibilité des évolutions à court terme inquiètent, voire qu'elles induisent, chez certains, en particulier chez ceux qui ont le plus à perdre dans cette lutte sans merci, le sentiment d'une inéluctabilité du destin analogue à l'inéluctabilité de la Singularité.

Néanmoins, même couplée à l'*hubris* évoquée plus haut, cette crainte du futur ne suffit pas à expliquer la promotion à grands frais de la Singularité par des entreprises majeures des hautes technologies. En effet, du fait de son caractère irrationnel, que nous avons démontré précédemment, on imagine mal comment, dans une situation de concurrence acharnée, certains avoueraient avec sincérité leurs doutes sur l'avenir, tout en cautionnant des hypothèses aussi hasardeuses que celles de la Singularité, sans que cela les décrédibilise aux yeux de leurs compétiteurs et de l'opinion. Ainsi, il apparaît fort improbable que les acteurs des technologies de l'information ne promeuvent la Singularité que pour exprimer publiquement leurs propres incertitudes sur le futur, qu'il s'agisse du leur ou du nôtre… En dépit de la perte de contrôle qu'ils ressentent, ils restent des dirigeants puissants et avisés. Tout laisse accroire qu'ils agissent toujours en stratèges dans le grand Monopoly du Nasdaq[146], achetant et vendant entreprises sur entreprises, développant pour un temps tel ou tel projet, avant de l'arrêter, puis de le reprendre lorsque bon leur chante. En somme, la seconde hypothèse selon laquelle les industriels

nous feraient part des inquiétudes qu'ils nourrissent
pour eux et éventuellement pour le reste de l'humanité, n'est guère convaincante.

Publicité

Nous l'avons déjà mentionné, le récit de catastrophes passées, réelles ou imaginaires et, plus
encore, la spéculation sur des catastrophes futures
bien racontées, recueillent toujours un grand succès.
La Singularité technologique ne déroge pas à la
règle : bien empaquetée, avec des romans de science-
fiction, des films d'anticipation ou des annonces
fracassantes de professeurs titulaires de chaires prestigieuses dans les plus grandes universités, de réci-
piendaires du prix Nobel ou d'hommes d'affaires
aux réussites prodigieuses, elle se vend bien ! Il suffit
de constater l'écho qu'elle reçoit régulièrement dans
les médias à destination du grand public pour s'en
convaincre. Il n'en faut pas plus pour que de grandes
sociétés y recourent pour se faire de la publicité à peu
de frais. En effet, cela atteste du pouvoir sans limites
que les technologies seront amenées à prendre dans
les années qui viennent et, en conséquence, du rôle
qu'elles joueront, puisqu'elles en détiennent les
clefs. Cela conduit à émettre une troisième hypothèse
selon laquelle la Singularité prendrait place dans la
stratégie communicationnelle des industries de haute
technologie.

Le financement d'instituts et d'universités visant à
promouvoir la Singularité incite sans doute à pencher
pour cette hypothèse. Pourtant, on ne manquera pas

d'objecter que les industries des hautes technologies encourent le risque de ternir leur image, car nous retrouvons là, indubitablement, l'ambivalence de ceux que nous avons appelés plus haut les « pompiers pyromanes » : d'un côté, ils développent des technologies dont ils assurent qu'elles contribueront à améliorer nos vies quotidiennes, d'un autre côté, ils avertissent des dangers qu'elles font courir à l'humanité. Pour surmonter ce qui apparaît de prime abord comme une dissonance cognitive, songeons qu'au cœur de l'idée de Singularité on trouve un principe d'autonomie du développement des technologies. Les acteurs des industries des hautes technologies nous affirment avec force que les technologies se déploient d'elles-mêmes, selon une loi universelle d'évolution, dont la loi de Moore serait un échantillon. En conséquence, ils se défaussent en arguant qu'ils n'ont aucune prise sur l'amélioration des technologies et que celles-ci se perfectionneraient quoi qu'il advienne. Leur seule contribution résiderait dans l'humanisation des technologies, dans leur volonté de contribuer au bien de tous et dans leur capacité d'écoute. Dans le même temps, leurs compétences leur permettent de mesurer les enjeux et de prévoir les évolutions avant tout le monde. Les plus avertis et les plus généreux d'entre eux chercheraient donc, par générosité et philanthropie, à nous avertir des évolutions futures, pour nous aider à adoucir et à prolonger la vie autant que possible. La maxime de Google, inlassablement répétée par tous les acteurs des hautes technologies, résume parfaitement cette idée : « *making the world a better place* » (faire du monde un endroit meilleur). En somme, la publicité que leur assure la prise en considération de la Singularité technologique ne relève pas de la réclame pour des produits dont ils chercheraient à vanter les qualités, mais de la fabrication d'une image de marque bienveillante aux yeux du public. Cela explique, certainement, l'insistance que beaucoup d'entre eux, en particulier Google, mettent sur l'éthique, avec de multiples promesses de codes de conduite qui évoluent dans le temps, et sur la haine du mal dont la fameuse devise de Google, « *don't be evil* » (ne sois pas malfaisant), est emblématique.

Bienveillance et charité ensorcelées

S'il y a bienveillance et charité dans l'intérêt que portent plusieurs acteurs majeurs de l'industrie des hautes technologies à la Singularité technologique, comment ne pas suspecter cette bienveillance et cette charité d'être quelque peu ensorcelées ? Cherchent-ils seulement à se construire une image auprès du public, ou aussi, et surtout, à masquer les vrais moteurs de leurs stratégies qui sont d'abord politiques ?

Soulignons que l'insolente réussite de ces entreprises les met à l'abri d'une soif immodérée de conquêtes matérielles immédiates. La recherche de gains à court terme n'est pas et n'a jamais été leur seule motivation. Dès l'origine, leurs ambitions allaient plus loin ; elles aspiraient à construire une nouvelle société. Autrement dit, leurs finalités sont, et ont toujours été, plus politiques qu'économiques. À titre d'illustration, en 2001, Larry Page, le cofondateur de Google, expliquait que leur but était d'organiser l'information du monde et de la rendre universellement accessible et utile[147]. Aujourd'hui, leurs empires industriels atteignent des dimensions si considérables que l'argent, pour eux, ne se compte plus que par centaines de millions, voire par milliards d'euros, de dollars ou de yuans. Pour preuve, les rachats de jeunes pousses se font à cette aune.

Notons ensuite que les économies de ces grands groupes, constitués très rapidement, apparaissent plus spéculatives que comptables. Elles reposent souvent, et assez paradoxalement, sur des services gratuits – songeons aux moteurs de recherche ou aux réseaux sociaux – qui drainent dans leur sillage des activités payantes, par exemple la publicité. Tout en demeurant marginales, ces dernières suffisent largement à assurer une rentabilité considérable. Pour beaucoup d'entre ces compagnies, seules des levées de capitaux ou, éventuellement, les cours d'actions en Bourse, mesurent la réussite. En conséquence, et contrairement à ce que laissent entendre les sigles GAFA ou NATU, ces différentes sociétés ne complotent pas dans des coalitions occultes, car elles entrent en rivalité dans la quête de financements. Parallèlement, elles éprouvent le sentiment que, quoi qu'il arrive, aucune des plus grandes compagnies n'aurait, à elle seule, la capacité de dominer toutes les autres, ne serait-ce que parce que le contexte nord-américain, avec ses lois antimonopole, l'empêcherait.

Ajoutons enfin que ce qui alimente la spéculation tient à l'apparition de nouvelles régions, c'est-à-dire de nouveaux lieux de pouvoir, qui viennent doubler les territoires géographiques anciens et parfois s'y superposer, sans toutefois s'y identifier. Ces régions, qui échappent en partie aux États, suscitent la convoitise des acteurs industriels des hautes technologies qui y voient à la fois des rentes très lucratives et des enjeux de pouvoirs majeurs. On conçoit aisément qu'ils les placent au cœur de stratégies qui revêtent, dès lors, une dimension politique inédite capable de transformer totalement les équilibres planétaires.

Rappelons que, jusqu'à présent, et ce vraisemblablement depuis la sédentarisation et la naissance de l'agriculture, dans la plus haute Antiquité, puis surtout depuis la fin du Moyen Âge, le monde se divisait essentiellement en États dominant chacun des territoires sur lesquels ils aspiraient à régner. Or, aujourd'hui, avec la toile, les territoires du pouvoir ne coïncident plus avec les États : des hommes habitent un pays pendant des années sans en parler nécessairement les langues, sans se soumettre à ses coutumes, sans même s'en soucier, car ils demeurent quotidiennement en liaison avec leur pays d'origine. De plus, l'autorité de l'État ne s'exerce plus intégralement sur les hommes vivant sur son territoire. Ceux-ci peuvent désormais acheter, communiquer, travailler et échanger quasi librement au-delà des frontières géographiques de leur nation. Enfin, le cyberespace, dont les grandes institutions étatiques – banques, administrations, ministères, industries, etc. – dépendent de plus en plus, apparaît vulnérable à des attaques en provenance de territoires étrangers, sans que l'État n'y puisse rien, ou presque.

Au-delà de cette évolution générale du lien entre État et territoire, l'État souverain moderne, qui était censé assumer un certain nombre de fonctions, se trouve désormais doublé par les grands acteurs industriels des hautes technologies qui prétendent assumer ces mêmes fonctions à sa place, mieux que lui et à moindre coût. Il en va ainsi des fonctions régaliennes traditionnelles, comme la sécurité, la collecte des impôts ou la monnaie, ainsi que des autres compétences qui s'y sont progressivement agrégées comme l'instruction, la santé, la culture, l'environnement, etc. Pour nous en convaincre, précisons, ci-dessous, avec quelques exemples, la façon dont des acteurs du web prétendent s'y prendre pour assumer quelques-unes de ces fonctions.

Biométrie

La lutte contre la criminalité repose en partie sur la capacité à identifier des suspects afin de les empêcher de nuire. Aujourd'hui, avec le traitement de grandes masses de données et l'apprentissage profond, la biométrie a fait des progrès considérables à la fois pour la reconnaissance des empreintes digitales, pour la reconnaissance de la voix, pour la reconnaissance faciale et, même, pour la reconnaissance de l'iris. Ces techniques améliorent considérablement les possibilités d'identification des individus. Au plan technique, les algorithmes reposent sur un traitement automatique du son, pour la parole, ou des images, pour les empreintes digitales, les visages ou les iris. Ce premier traitement dégage des « points d'intérêt » ou, ce que l'on appelle d'un terme technique emprunté à la navigation, des amers (*landmarks* en anglais). Sur des visages, cela correspond aux commissures des lèvres, aux narines, aux extrémités des yeux et des sourcils, etc. Ensuite, partant de ces amers et de leurs distances relatives, des logiciels d'apprentissage machine entraînés sur un grand nombre d'exemples, caractérisent des individus répertoriés, en les distinguant des autres. Les performances dépendent du nombre d'exemples utilisés par les algorithmes d'apprentissage. Or, concernant les visages, pour des raisons légales, l'État français n'a pas le droit de transmettre, même aux administrations, les images des individus fichés parce que considérés comme dangereux et *a fortiori* de stocker les images des citoyens ordinaires. Il n'est donc pas en mesure de mettre en œuvre de façon efficace les techniques de reconnaissance faciale pour assurer la sécurité. En revanche, les réseaux sociaux comme Facebook ou Google+* possèdent ces photographies en très grandes quantités et entraînent, avec de l'apprentissage profond, des logiciels de reconnaissance faciale sur des dizaines, voire des centaines de millions d'images**. Ils sont alors en mesure d'attester de l'identité d'un internaute lors d'opérations en ligne, par exemple d'un paiement ou d'une ouverture de compte, pour

---

* Notons que des sociétés – DeepFace (Facebook), FaceNet (Google), FaceFirst, Face-Six (www.face-six.com), etc. – se spécialisent dans la reconnaissance faciale et obtiennent des résultats époustouflants. Ainsi, DeepFace annonçait, en 2015, un taux de reconnaissance correct de 97,25 %, presque équivalent à celui de la perception humaine, et FaceNet prétendait même arriver à 99,63 % !

** Le système de la société DeepFace, filiale de Facebook, a été entraîné sur 4,4 millions d'images ; celui de la société FaceNet (Google), sur 200 millions d'images.

retrouver des personnes au comportement répréhensible, voire pour repérer des individus recherchés par la police… Cet exemple montre comment la sécurité pourrait bientôt être mieux assurée par certains acteurs industriels que par les États qui ne disposeront jamais, tant pour des raisons logistiques que légales, de la quantité d'images suffisante pour entraîner des algorithmes par apprentissage machine.

À ce propos, il n'est pas anodin de rappeler que le maire de Nice, Christian Estrosi, souhaita, en avril 2016, installer dans sa ville des portiques munis de caméras intégrant des logiciels de reconnaissance faciale pour assurer la sécurité de ses concitoyens durant l'Euro 2016. Les événements tragiques qui se sont déroulés quelques mois plus tard, en juillet 2016, dans la même ville en montrèrent l'inutilité. Indépendamment des obstacles techniques tenant à la difficulté de reconnaissance faciale dans la foule, les contraintes d'ordre logistique, liées au nombre d'images nécessaires, et d'ordre légal, venant de l'impossibilité de rapatrier dans une ville les images des personnes recherchées par l'État, montrent l'impuissance des institutions publiques, là où les grands acteurs de l'internet possèdent toutes les marges de manœuvre requises.

État civil

Dans les jeunes générations, pour exister, chacun se doit de disposer d'une page sur des réseaux sociaux comme Facebook, LinkedIn, MySpace, Twitter, Viadeo, Instagram, Snapchat, etc., auxquels on confie bien plus d'informations sur soi, sur sa vie personnelle et sur ses relations intimes qu'à l'administration nationale. Les entreprises en tirent d'ores et déjà parti au moment de l'embauche pour cerner la personnalité et la sociabilité des postulants… Pourquoi les États ne céderaient pas à ces réseaux sociaux la gestion des registres de l'état civil ? À première vue, la suggestion déconcerte. Pourtant, ceux-ci pourraient assumer cette gestion à moindre coût et de façon plus précise et plus détaillée, puisqu'ils disposent déjà de toute l'information requise, en particulier, des mariages, des naissances, des vies en communauté, des ruptures, des décès… Qui plus est, on obtiendrait certainement plus rapidement et plus facilement des extraits de naissance ou de mariage qu'avec l'actuel état civil, géré par des milliers de communes au bord de la faillite. Pourquoi ne pas y souscrire ? En France, les registres furent tenus par le clergé catholique pendant des siècles, avant de l'être par les fonctionnaires des mairies à partir de la Révolution. Aujourd'hui, quelles raisons y a-t-il de refuser d'en confier la gérance à des institutions privées mieux renseignées, plus économiques et plus fiables que les mairies ?

Chiffrement

Pendant des siècles, les États forts demandaient à accéder à toute l'information qui circulait pour exercer leur pouvoir de censure, poursuivre les criminels et assurer la sécurité publique. Cela amena à légiférer sur les techniques de chiffrement afin d'en limiter la puissance pour qu'en dernier ressort l'État soit toujours en mesure de décrypter l'information qui s'échange. Avec le développement massif des réseaux de télécommunication, et en particulier de la toile, il devint impératif de disposer de techniques de chiffrement éprouvées. En effet, comment imaginer un commerce et une banque dématérialisés sans assurer la confidentialité et la sécurité des opérations financières ? À titre d'illustration, en France, le décret n° 98-101 du 24 février 1998 autorisa l'utilisation de techniques de chiffrement de l'information, sous certaines conditions qui furent modifiées par le décret n° 2007-663 du 2 mai 2007. Et aujourd'hui, dans les pays occidentaux, personne ne concevrait une circulation d'information sans chiffrement. Or, cela place les États dans une situation de vulnérabilité qui porte atteinte à leur souveraineté.

À cet égard, l'affaire qui oppose la société Apple à l'État américain, suite à la fusillade de San Bernardino survenue le 2 décembre 2015, et à l'enquête qui s'ensuivit, apparaît révélatrice. En effet, le FBI ayant trouvé un iPhone qui avait appartenu à l'un des terroristes, souhaita lire son contenu pour les besoins de l'enquête, en particulier pour établir les liens exacts entre les meurtriers et l'État islamique. Il demanda donc à Apple de l'aider à décrypter le contenu de ce téléphone, ce que la société refusa… Cela montre comment la souveraineté de l'État, en matière de sécurité et de défense nationale, se trouve mise en défaut par une société privée.

Au cours de l'été 2016, en France, un autre épisode de la rivalité entre États et industriels du web s'avéra, lui aussi, fort révélateur : s'inquiétant des

communications cryptées qu'échangent les terroristes sur des réseaux de messagerie comme Telegram
ou WhatsApp, le ministre de l'Intérieur français,
Bernard Cazeneuve et son homologue allemand
Thomas de Maizière en appelèrent à l'Europe, en
août 2016[148], afin de contourner les procédures de
chiffrement utilisées par ces applications. Une tribune cinglante du CNNum (Conseil national du
numérique)[149] qui a d'abord paru dans le journal *Le
Monde*[150] avant d'être traduite en allemand, puis
publiée dans le journal Heise[151], montra là encore les
difficultés de tous ordres que rencontrent les États
pour assumer leurs prérogatives, en l'occurrence
pour assurer la sécurité des citoyens, face aux agisse-
ments des nouveaux acteurs de la toile.

Crypto-anarchie, blockchain *et Bitcoin*

Au début des années 1990, peu de temps après
l'invention du web, un ingénieur de la société Intel,
Timothy May, se fit connaître par des ouvrages de
science-fiction portant sur la cryptographie et la pro-
tection de la vie privée ; il est à l'origine du mouvement Cypherpunk[152]. Il engagea aussi des réflexions
sur la « crypto-anarchie[153] » qui eurent par la suite
une influence considérable. Pour éviter toute ambiguïté, soulignons que le terme crypto-anarchie doit
être entendu non comme une forme masquée d'anar-
chie, au sens par exemple où le cryptocommunisme
désigne une sympathie masquée pour le commu-
nisme sans adhésion explicite au parti, mais comme
une conception anarchiste de l'usage de la cryptographie. Il s'agit de permettre à des groupes d'échan-

ger secrètement des messages, de façon fiable, sans recourir à un tiers de confiance ou à une autorité centralisée qui en garantirait l'authenticité et en assurerait la supervision. L'une des applications envisagées par Timothy May portait sur une crypto-monnaie virtuelle susceptible d'autoriser des transactions financières, sans possibilité de tricher et sans recours ni à une banque centrale, ni à un État. Après différentes tentatives, dont en particulier la *b-money* imaginée en 1999 par Wei Dai[154], un personnage mystérieux*, publia en 2008, sous le nom d'emprunt de Satoshi Nakamoto[155], les principes cryptographiques d'une monnaie virtuelle, le Bitcoin, totalement décentralisée qui repose sur un grand registre comptable public, la *blockchain* (« chaîne de blocs » en français), infalsifiable et totalement distribué. L'année d'après, en 2009, un logiciel libre diffusa cette monnaie qui depuis s'est progressivement imposée, en dépit d'un statut juridique flou et de mises en garde de grandes banques centrales, en particulier de la Banque de France en décembre 2013. Jusque-là, « battre monnaie » relevait des prérogatives régaliennes des États souverains. Nous voyons, là encore, avec le Bitcoin, comment un autre attribut de la souveraineté des États en vient à être assumé par des acteurs industriels majeurs des hautes technologies…

---

* Revendiquée en mai 2016 par l'entrepreneur australien Craig Wright, la paternité du Bitcoin et l'identité exacte de Satoshi Nakamoto font néanmoins toujours débat, car les preuves apportées par Craig Wright n'ont pas été jugées convaincantes.

Cadastre

L'établissement du cadastre facilite la levée de l'impôt qui est, elle aussi, une des prérogatives régaliennes d'un État souverain. Lorsque ce dernier n'est pas en mesure de le dresser, comme cela se produit en Grèce aujourd'hui, il ne parvient pas à percevoir les taxes et entre en crise. Or, aujourd'hui, de grandes sociétés comme Google, Apple ou Maps.me établissent des plans d'une très grande fidélité, pour un coût assez faible. Les États en difficulté, comme l'est la Grèce actuellement, pourraient leur confier le soin d'établir un cadastre fiable pour une somme bien inférieure à ce qu'ils débourseraient s'ils mettaient en place une administration pour s'en charger.

Autres compétences

Le 30 novembre 2015[156], Mme Najat Vallaud-Belkacem, ministre de l'Éducation nationale, de l'Enseignement supérieur et de la Recherche, signe, au nom de l'État français, un accord avec la société Microsoft qui reconnaît explicitement la suprématie technologique et intellectuelle de cette société en matière d'éducation à l'ère numérique. Cela conduit le ministère à demander, entre autres, à la société Microsoft d'accompagner et de former des « acteurs du plan numérique à l'école », à savoir les services du ministère de l'Éducation nationale, les cadres académiques et les enseignants. En particulier, on demande à Microsoft d'« accompagner la formation des enseignants pour les préparer à l'animation de cours spécifiques sur l'apprentissage du code ». Et, pour faciliter la formation, Microsoft propose « généreusement » d'introduire ses logiciels dans les écoles, ce qui paraît pourtant contradictoire avec les recommandations de la Direction interministérielle des systèmes d'information et de communication publiées en 2015 dans la version 2.0 [157] du référentiel général d'interopérabilité (RGI). En effet, pour les documents, ce référentiel exige les standards ouverts txt, odf et pdf et ne souscrit à aucun outil ni standard propriétaire, comme le sont tous ceux de Microsoft.

Nous constatons ici encore que l'État renonce à sa compétence en matière d'instruction publique, si chère pourtant à notre tradition républicaine, pour la céder à un grand acteur industriel.

Et d'autres grands acteurs proposent aussi d'assumer bien d'autres compétences qui revenaient traditionnellement aux États en matière :

– de santé, avec entre autres l'acquisition et l'interprétation de données issues des objets connectés ou même simplement de l'Institut national de santé en Grande-Bretagne [158] ;

– de recherche, songeons par exemple à la société Calico [159] qui veut analyser le génome pour aider à comprendre les causes du vieillissement ;

– de culture, pensons à Google Book ou à la part croissante que prend Amazon dans l'édition ;

– d'environnement, avec les sites collaboratifs de surveillance, etc.

Détournement d'attention

Partout, surgissent de nouveaux secteurs, de nouveaux lieux à régir, des régions au sens étymologique. Les acteurs industriels majeurs des hautes technologies entrent en lutte pour les conquérir et se les partager. L'enjeu principal n'est pas seulement économique ; il est aussi, et même avant tout, politique. Ces acteurs défient les États constitués, en particulier les États européens dont, avec le temps, la part se réduit comme peau de chagrin. En cela, nous nous trouvons bien loin du monde décrit par Orwell dans *1984*, où c'étaient encore des États qui détenaient l'exclusivité du pouvoir. Sans même évoquer la souveraineté qui, on le sait, fait débat depuis longtemps entre républicains et libéraux, les attributions traditionnelles des États s'amenuisent, grignotées chaque jour davantage par l'appétit de ces grands groupes industriels, sans que personne ne s'y oppose. Nous subissons des changements politiques majeurs. Le grand récit de la Singularité vise à occulter les enjeux consécutifs à ces changements derrière une fable extravagante. Là comme ailleurs, la peur masque le danger. L'avenir n'est pas aboli, loin de là. L'histoire poursuit son cours, plus encore que par le passé. Le monde change, et des hommes prennent part à ces transformations. Le conte d'une fin du futur n'a pour objet que d'en détourner notre attention. Telle la Gorgone, il pétrifie alors que, plus que jamais, face à ce qui advient, il conviendrait de regarder droit devant soi, sans se retourner, ni esquiver, pour relever les défis que nous lance le présent.

Répétons-le, rien ne permet d'affirmer que s'ouvre, devant nous, l'abîme qu'annoncent les zélateurs de la Singularité. Sans doute, la course tourbillonnante, étourdissante et déconcertante du progrès s'accélère-t-elle sans cesse... Cela devrait inviter à agir, et non à fermer les yeux. Aujourd'hui, la question porte une fois encore sur l'impératif de modernité et sa légitimité. Depuis l'époque de la Renaissance, l'ingénieur et le scientifique incarnent généralement l'aspiration à la modernité alors que, dans le domaine artistique et philosophique, la situation paraît plus indécise : il arriva que certains la refusent ou se disputent à son propos. On se souvient de la querelle des Anciens et des Modernes au XVIIe siècle, ou plus tard, de celles suscitées par le romantisme. Il y a un siècle et demi, Arthur Rimbaud, à la fin d'*Une saison en enfer*, enjoignait d'être absolument moderne pour rompre avec la tradition, en l'occurrence la tradition artistique et religieuse. Plus tard, au XXe siècle, en écho à Rimbaud, des poètes comme Apollinaire et des philosophes critiques de la modernité comme Adorno, commandaient d'être résolument moderne, en dépit de ce que la modernité technique pouvait avoir d'aliénant.

Or, étrangement, aujourd'hui, la technique qui, jusque-là, se présentait comme le vecteur majeur de la modernité, retourne sa veste, pour se départir de la volonté de savoir et d'agir, et succomber devant le succès des légendes populaires. Elle renonce à l'idéal de modernité qui naquit à la Renaissance. Pour autant, elle ne se détourne pas totalement de la modernité au sens étymologique qui la relie à la mode, à savoir à la conformité à l'esprit du temps. Tout se passe comme si cette modernité que prétendent incarner les sectateurs de la Singularité correspondait à une pseudomorphose de la modernité classique qui commence à la Renaissance : elle en conserve l'apparence extérieure, le clinquant, les couleurs vives, l'attrait pour la vitesse, tout en en changeant radicalement la substance. La rationalité y fait place à l'irrationalité. L'enquête inquiète disparaît au profit des certitudes. La science renonce devant le mythe et les doctrines fumeuses d'autorités reconnues. L'humanisme, à savoir l'épanouissement de l'humain, cède le pas au posthumanisme technologique. Le doute est supplanté par des remèdes de bonne femme. La liberté abdique. Le futur se dissipe.

En somme, s'ils possédaient un brin d'humour – avec un peu moins de certitudes et surtout plus de sincérité qu'ils n'en montrent – tous ces propagandistes de la Singularité devraient reprendre à leur compte cet aphorisme d'Emil Cioran : « Être *moderne*, c'est bricoler dans l'Incurable [160] »…

Notes

1. Stuart Russell est en particulier l'auteur avec Peter Norvig d'un manuel qui fait autorité dans le domaine de l'intelligence artificielle et qui s'intitule : *Artificial Intelligence : A Modern Approach*, Prentice Hall Series in Artificial Intelligence, 1995.

2. Rory Cellan-Jones, « Stephen Hawking warns artificial intelligence could end mankind », bbc.com, 2 décembre 2014 ; traduction personnelle.

3. Eric Mack, « Why Elon Musk spent $10 million to keep artificial intelligence friendly », forbes.com, 15 janvier 2015.

4. Miriam Kramer, « Elon Musk : Artificial intelligence is humanity's "biggest existential threat" », livescience.com, 27 octobre 2014.

5. Conférence « Reddit Ask Me Anything » : Eric Mack, « Bill Gates says you should worry about artificial intelligence », forbes.com, 28 janvier 2015.

6. futureoflife.org/misc/open_letter.

7. Future of Humanity Institute – University of Oxford, www.fhi.ox.ac.uk.

8. The Future of Life Institute, thefutureoflife.org.

9. Machine Intelligence Research Institute – MIRI, intelligence.org.

10. Center for the Study of Existential Risk, cser.org.

11. Singularity University, singularityu.org.

12. Institut for Ethics and Emerging Technologies, ieet.org.

13. www.extropy.org.

14. Hans Moravec, Harvard University Press, 1988 ; trad. fr. : *Une vie après la vie*, Odile Jacob, 1992.

15. *Id.*, Oxford University Press, 1998.

16. Kevin Warwick, *I, Cyborg*, University of Illinois Press, 2004.

17. Steve Connor, « Professor has world's first silicon chip implant », independent.co.uk, 26 août 1998.

18. www.kevinwarwick.com.

19. Hugo de Garis, *The Artilect War : Cosmists vs. Terrans. A Bitter Controversy Concerning Whether Humanity Should Build Godlike Massively Intelligent Machines*, ETC Publications, 2005.

20. Bill Joy, wired.com, avril 2000 ; traduction personnelle.

21. Le lecteur curieux pourra visualiser la bande d'archive de l'émission de télévision de la chaîne CBS où Raymond Kurzweil s'est produit en 1963 sur youtube.com : voir « Ray Kurzweil on "I've Got a Secret" ».

22. National Medal of Technology and Innovation : il s'agit de la distinction américaine la plus prestigieuse pour les ingénieurs.

23. Voici les titres complets des ouvrages mentionnés ainsi que leur traduction en français : *How to Create a Mind : The Secret of Human Thought Revealed* (Comment créer un esprit : le secret de la pensée humaine révélé), Penguin Books, 2013 ; *The Age of Spiritual Machines : When Computers Exceed Human Intelligence* (L'âge des machines spirituelles : quand les ordinateurs l'emportent sur l'intelligence humaine), Penguin Books, 2000 ; *Transcend : Nine Steps to Living Well Forever* (Transcendance : neuf étapes pour vivre mieux éternellement), Rodale Books, 2010 ; *The Singularity Is Near : When Humans Transcend Biology* (La Singularité est proche : quand les hommes transcendent la biologie), Penguin Books, 2006 ; *Virtually Human : The Promise – and the Peril – of Digital Immortality* (Humain virtuel : la promesse – et le danger – de l'immortalité numérique), St. Martin's Press, 2014 ; *Fantastic Voyage : Live Long Enough to Live Forever* (Voyage fantastique : vivre suffisamment longtemps pour vivre éternellement), Plume, 2005.

24. Nick Bostrom, Oxford University Press, 2014.

25. World Transhumanist Association, transhumanism.org/index.php/WTA/hvcs/.

26. humanityplus.org.

27. Laurent Alexandre, *La Mort de la mort*, J.-C. Lattès, 2011.

28. Carl Shulman et Nick Bostrom, « Embryo selection for cognitive enhancement : Curiosity or game-changer ? », *Global Policy*, vol. 5, n° 1, 2014, p. 85-92 ; www.nickbostrom.com/papers/embryo.pdf.

29. Vernor Vinge, « The coming technological singularity », *in* G. A. Landis (ed.), *Vision-21 : Interdisciplinary Science and Engineering in the Era of Cyberspace*, NASA Publication CP-10129, p. 115-126, 1993 ; disponible sur www-rohan.sdsu.edu/faculty/vinge/misc/singularity.html.

30. Irvin John Good, « Speculations concerning the first ultraintelligent machine », *Advances in Computers*, vol. 6, 1965 ; www.acikistihbarat.com/dosyalar/artificial-intelligence-first-paper-on-intelligence-explosion-by-good-1964-acikistih-barat.pdf.

31. Isaac Asimov, « The last question », *in* R. W. Lowndes (ed.), *Science Fiction Quarterly*, vol. 4, n° 5, novembre 1956.

32. M. Mitchell Waldrop, « The chips are down for Moore's law », nature.com.

33. Ray Kurzweil, *The Singularity is Near...*, *op. cit.*

34. Hans Moravec, « When will computer hardware match the human brain ? », *Journal of Evolution and Technology*, vol. 1, 1998 ; jetpress.org.

35. Hugo de Garis, *The Artilect War : Cosmists vs. Terrans...*, *op. cit.* ; Voir Hervé Kempf, « 2 000 débats pour le siècle à venir, Hugo de Garis, chercheur en intelligence artificielle », *Le Monde*, pages « Horizons-Débats », 9 novembre 1999.

36. Kevin Warwick, *March of the Machines : The Breakthrough in Artificial Intelligence*, University of Illinois Press, 2004.

37. Billy Joy, « Why the future doesn't need us », art. cit.

38. Nick Bostrom et Julian Savulescu (eds), *Human Enhancement*, Oxford, Oxford University Press, 2008.

39. Amnon H. Eden, James H. Moor, Johnny H. Søraker et Eric Steinhart (eds), *Singularity Hypotheses : A Scientific and Philosophical Assessment*, Springer, « The Frontiers Collection », 2013.

40. Humanity+ est le nom d'une association de promotion du transhumanisme.

41. Nick Bostrom, « A history of transhumanist thought », *in* Michael Rectenwald et Lisa Carl (eds), *Academic Writing Across the Disciplines*, Pearson Longman, 2011.

42. Hervé Kempf, « 2 000 débats pour le siècle à venir, Hugo de Garis, chercheur en intelligence artificielle », art. cit.

43. Bill Joy, « Why the future doesn't need us », art. cit.

44. *Time*, 21 février 2011, voir content.time.com.

45. Lev Grossman, « 2045 : The year man becomes immortal », content.time.com.

46. Traduction personnelle.

47. *Cf.* 2045.com.

48. *Cf.* 2045.com/project/avatar.

49. Reinhart Koselleck, *Le Futur passé. Contribution à la sémantique des temps historiques*, trad. Jochen Hoock et Marie-Claire Hoock, Éditions de l'École des hautes études en sciences sociales, Paris, 1990.

50. Jürgen Schmidhuber, « Philosophers & futurists, catch up ! Response to the singularity », *Journal of Consciousness Studies*, vol. 19, nº 1-2, 2012, p. 173-182 ; traduction personnelle.

51. René Thom, *Modèles mathématiques de la morphogenèse*, Paris, Union Générale d'Éditions, « 10-18 », 1974 ; *id.*, *Paraboles et catastrophes*, Paris, Flammarion, 1983.

52. Stephen Hawking et Roger Penrose, « The singularities of gravitational collapse and cosmology », *Proceedings of the Royal Society*, serie A, vol. 314, nº 1519, 1970, p. 529-548 ; rspa.royalsocietypublishing.org.

53. Il suffit de consulter l'article « Échecs (jeu des) » de l'encyclopédie que l'on trouvera en ligne : encyclopedie.uchicago.edu/content/browse.

54. Ray Kurzweil, *The Singularity is Near...*, *op. cit.*

55. *Ibid.*, p. 15-20, puis p. 62-84.

56. Georges-Louis Buffon, « Essai d'arithmétique morale », *in Suppléments à l'histoire naturelle*, t. IV [1777], p. 46-148. Texte disponible in *Corpus général des philosophes français. Auteurs modernes*, t. XLI, « Buffon », PUF, 1954.

57. « As Archbishop Whately remarks, every induction is a syllogism with the major premise suppressed ; or (as I prefer expressing it) every induction may be thrown into the form of a syllogism, by supplying a major premise. If this be actually done, the principle which we are now considering, that of the uniformity of the course of nature, will appear as the ultimate major premise of all inductions, and will, therefore, stand to all inductions in the relation in which, as has been shown at so much length, the major proposition of a syllogism always stands to the conclusion, not contributing at all to prove it, but being a necessary condition of its being proved. » : John Stuart Mill, *System of Logic Ratiocinative and Inductive*, Harper & Brothers Publishers, vol. 1, livre III « Of induction », 1882, chapitre III ; traduction personnelle.

58. Hans-Joachim Bremermann, « Optimization through evolution and recombination », *in* M. C. Yovitts *et al.* (eds), *Self-Organizing Systems*, Washington DC, Spartan Books, 1962, p. 93-106 ; holtz.org/Library/Natural Science/Physics/.

59. John von Neumann, *The Computer and the Brain*, Yale University Press, 1958.

60. Hans-Joachim Bremermann, « Quantum noise and information », in *5th Berkeley Symposium on Mathematical Statistics and Probability*, University of California Press, 1965 ; projecteuclid.org/euclid.bsmsp.

61. Tom Simonite, « Intel puts the brakes on Moore's law », *MIT Technology Review*, technologyreview.com, 23 mars 2016.

62. Thomas Kuhn, *La Structure des révolutions scientifiques* [1962], trad. Laure Meyer, Paris, Flammarion, « Champs sciences », 2008.

63. Sur ce sujet, on peut aussi consulter Theodore Modis, « The singularity myth », *Technological Forecasting & Social Change*, vol. 73, nº 2, 2006.

64. Éric Buffetaut, *Sommes-nous tous voués à disparaître ?*, Le Cavalier bleu, 2012 ; Charles Frankel, *Extinctions. Du dinosaure à l'homme*, Paris, Seuil, « Science ouverte », 2016.

65. David M. Raup et J. John Sepkoski Jr., « Mass extinctions in the marine fossil record », *Science*, vol. 215, nº 4539, 1982, p. 1501-1503.

66. Stephen Jay Gould, *L'Éventail du vivant. Le mythe du progrès*, Paris, Seuil, « Points Sciences », 2001.

67. John McCarthy, Marvin Minsky, Nick Rochester et Claude Shannon, « A proposal for the Dartmouth summer research project on artificial intelligence, August 31, 1955 » ; consultable en ligne : www.aaai.org. Il semble que cette proposition ait été rédigée par John McCarthy et Marvin Minsky, âgés de moins de trente ans à l'époque, puis qu'ils aient demandé le soutien de deux personnes confirmées, Nick Rochester et Claude Shannon pour assurer plus de crédibilité à leur demande.

68. Stanislas Dehaene, *La Bosse des maths*, Odile Jacob, Paris, 1997.

69. *Id.*, *Les Neurones de la lecture*, Odile Jacob, 2007.

70. Jacques Pitrat, *Artificial Beings. The Conscience of a Conscious Machine*, Wiley, 2009.

71. Saul Amarel, « On representation of problems of reasoning about actions », *in* D. Michie (ed.), *Machine Intelligence*, vol. 3, Edinburgh University Press, 1968, p. 131-171.

72. Herbert Gelernter, « A note on syntactic symmetry and the manipulation of formal systems by machine », *Information and Control*, vol. 2, 1959, p. 80-89.

73. Gottfried August Bürger, « Aventures du baron de Münchhausen dans la guerre contre les Turcs », in *Mésaventures du baron de Münchhausen*, 1786.

74. Alan Turing, « Intelligent Machinery – National Physical Laboratory Report » [1948], *in* B. Meltzer et D. Michie (eds), *Machine Intelligence*, vol. 5, Edinburgh University Press, 1969. *Id.*, « Computing machinery and intelligence », *Mind*, vol. 59, nº 236, 1950, p. 433-460.

75. Pour une référence plus explicite, voir la section « Histoire de l'intelligence artificielle » du chapitre 5.

76. *Cf.* futureoflife.org/AI/open_letter.

77. *Cf.* futureoflife.org/AI/open_letter_autonomous_weapons.

78. Ethicaa.org/.

79. Vladimir Vapnik, *Statistical Learning Theory*, Wiley-Blackwell, 1998.

80. Leslie Valiant, « A theory of the learnable », *Communications of the ACM*, vol. 27, n° 11, novembre 1984, p. 1134-1142.

81. *Id.*, *Probably Approximately Correct – Nature's Algorithm for Learning and Prospering in a Complex World*, Basic Books, 2014.

82. Oswald Spengler, *Le Déclin de l'Occident* (2 tomes 1918-1922), Paris, Gallimard, 2000 [1948].

83. John McCarthy, Marvin Minsky, Nathan Rochester et Claude Shannon, « A proposal for the Dartmouth summer research project on artificial intelligence, August 31, 1955 », art. cit.

84. Traduction personnelle.

85. Julien Offray de La Mettrie, *L'Homme machine*, 1747 ; consultable en ligne : fr.wikisource.org.

86. Voir Hubert Dreyfus, *Intelligence artificielle. Mythes et limites*, Flammarion, 1992 et *What Computers Still Can't Do : A Critique of Artificial Reason*, MIT Press, 1992.

87. John Searle, « Minds, brains and programs », *The Behavioral and Brain Sciences*, vol. 3, Cambridge University Press, 1980 ; tr. fr. « Esprits, cerveaux et programmes », *in* Douglas Hofstadter et Daniel Dennett, *Vues de l'Esprit*, Paris, Interéditions, 1987, p. 354-373.

88. John Searle, *Du cerveau au savoir*, Paris, Hermann, 1985.

89. Hans Jonas, *La Religion gnostique. Le Message du Dieu étranger et les débuts du christianisme*, trad. L. Evrard, Paris, Flammarion, 1978 [1954].

90. Raymond Ruyer, *La Gnose de Princeton*, Paris, Fayard, 1974.

91. Hans Leisegang, *La Gnose*, Paris, Payot, « Petite bibliothèque », 1951 [1924].

92. Henri-Charles Puech, *En quête de la gnose*, tome I : *La Gnose et le temps*, Paris, Gallimard, 1978.

93. Ray Kurzweil, *The Singularity is Near...*, *op. cit.*

94. Voir chapitre 3.

95. Ray Kurzweil, *The Singularity is Near...*, *op. cit.*

96. Cf. *ibid.*, p. 20, énumération des différentes étapes du graphique intitulé *Canonical Milestones* (Étapes canoniques) ; traduction personnelle.

97. Nous renvoyons le lecteur au chapitre 2 où toutes les références aux écrits des différents auteurs mentionnés ici sont données.

98. Robert Geraci, *Apocalyptic AI. Visions of Heavens in Robotics, Artificial Intelligence, and Virtual Reality*, Oxford University Press, 2010.

99. *Cf.* neurofuture.eu.

100. Lee Gomes, « Facebook AI director Yann LeCun on his quest to unleash deep learning and make machines smarter », spectrum.ieee.org, 18 février 2015.

101. Billy Joy, « Why the future doesn't need us », art. cit.

102. Hans Moravec, *Mind Children : The Future of Robot and Human Intelligence*, *op. cit.*

103. Gottfried Wilhelm Leibniz, *Discours de métaphysique et correspondance avec Arnauld* [1686], Paris, Vrin, « Bibliothèque des textes philosophiques », 1993.

104. *Ibid*, p. 48.

105. Jean-François Lyotard, *La Condition postmoderne. Rapport sur le savoir*, Paris, Éditions de Minuit, 1979.

106. *Cf.* ec.europa.eu/digital-agenda/en/onlife-manifesto.

107. *Ibid.*, p. 3.

108. Reinhart Koselleck, *Le Futur passé...*, *op. cit.*

109. Cicéron, *De la divination – Du destin – Académiques*, trad. fr. Charles Appuhn, Paris, Garnier frères, « Classiques Garnier », livre 1, chap XVIII, 1937.

110. *Cf.* www.tylervigen.com/spurious-correlations.

111. Rick Weiss *et al.*, « Study debunks theory on teen sex, delinquency », *Washington Post*, 11 novembre 2007 ; washingtonpost.com.

112. George Rebane et Judea Pearl, « The recovery of causal poly-trees from statistical data », *Proceedings, 3rd Workshop on Uncertainty in AI*, Seattle, 1987, p. 222-228. Peter Spirtes, Clark N. Glymour et Richard Scheines, *Causation, Prediction, and Search* (1re éd.), Springer-Verlag, 1993.

113. Cicéron, *De la divination*, *op. cit.*, chapitre XIV.

114. John Stuart Mill, *Système de logique déductive et inductive*, trad. fr. Louis Peisse, Paris, Librairie philosophique de Ladrange, Livre III, 1866 [1843], chapitre III, § 1.

115. Ariel Colonomos, *La Politique des oracles. Raconter le futur aujourd'hui*, Paris, Albin Michel, « Bibliothèque Idées », 2014.

116. *Ibid.*, p. 108-120.

117. *Ibid.*, p. 120-131.

118. Sur ce sujet, on lira avec profit l'article de Theodore Modis, « The singularity myth », *Technological Forecasting & Social Change*, vol. 73, n° 2, 2006.

119. Voir chapitre 3.

120. David Sanford Horner, « Googling the future : The singularity of Ray Kurzweil », *in* T. W. Bynum *et al.* (eds), *Proceedings of the Tenth International Conference : Living, working and learning beyond technology – Ethicomp 2008*, Université de Pavie, 24-26 septembre 2008, Mantoue (Italie), Tipografia Commerciale, 2008, p. 398-407.

121. Jean-Gabriel Ganascia, « The plaited structure of time in information technology », *AISB Symposium on Computing and Philosophy*, Aberdeen (Écosse), avril 2008.

122. Eliezer Yudkowsky, « Artificial intelligence as a positive and negative factor in global risk », in *Global Catastrophic Risks*, Oxford University Press, 2011.

123. Mircea Eliade, *Le Mythe de l'éternel retour*, Paris, Gallimard, « Folio Essais », 2001.

124. Friedrich Nietzsche, *Le Gai Savoir*, trad. Henri Albert, Paris, Société du Mercure de France, 1901, § 341, p. 295-296.

125. Louis-Auguste Blanqui, *L'Éternité par les astres*, Paris, Librairie Germer Baillière, 1872 ; consultable en ligne : classiques.uqac.ca/classiques.

126. Nicolas de Condorcet, *Esquisse d'un tableau historique des progrès de l'esprit humain* [1793-1794], Vrin, « Bibliothèques des textes philosophiques », 1970, p. 218 de l'édition numérisée : classiques.uqac.ca/classiques.

127. René Thom, *Paraboles et catastrophes*, *op. cit.*

128. René Thom, *Modèles mathématiques de la morphogenèse*, *op. cit.*

129. Jean-Pierre Dupuy, *Pour un catastrophisme éclairé*, Paris, Seuil, 2002.

130. Hannah Arendt, *The Human Condition*, University of Chicago Press, 1958.

131. David Sanford Horner, « Googling the future : The singularity of Ray Kurzweil », art. cit.

132. Amnon H. Eden, James H. Moor, Johnny H. Søraker et Eric Steinhart (eds), *Singularity Hypotheses...*, *op. cit.*

133. Jean-Michel Besnier, *Demain les posthumains*, Paris, Hachette Littérature, 2009.

134. Cory Doctorow et Charles Stross, *The Rapture of the Nerds : A Tale of the Singularity, Posthumanity, and Awkward Social Situations*, Titan Books, 2013.

135. Luc Ferry, *La Révolution transhumaniste*, Plon, 2016.

136. Giovanni Pico della Mirandola, *De la dignité de l'homme*, trad. du latin et préfacé par Yves Hersant, Éditions de l'Éclat, « Philosophie imaginaire », 1993 ; consultable en ligne : www.lyber-eclat.net/lyber/mirandola/pico.html.

137. Günther Anders, « Une interprétation de l'a posteriori », trad. fr. Emmanuel Levinas, in *Recherches philosophiques* [revue fondée par A. Koyré, H.-Ch. Puech et A. Spaier, chez Boivin & Cie, rue Palatine, Paris (VIᵉ)], vol. 4, 1934, p. 65-80 ; www.lesamisdenemesis.com/?p=86.

138. Voir chapitre 5.

139. *Cf.* singularityu.org.

140. Max Tegmark, « Elon Musk donates $10M to keep AI beneficial », futureoflife.org, 12 octobre 2015.

141. À cet égard, le rapport d'activité de l'année 2015 de l'Institut du futur de la vie est éloquent : futureoflife.org/wp-content/uploads/2016/02/FLI-2015-Annual-Report.pdf.

142. Calico signifie California Life Company (www.calico-labs.com).

143. Nicolas de Condorcet, *Esquisse d'un tableau historique des progrès de l'esprit humain*, *op. cit.*, p. 217.

144. Luc Ferry, *La Révolution transhumaniste*, *op. cit.*

145. *Ibid.*

146. National Association of Securities Dealers Automated Quotations, marché des actions des entreprises de haute technologie.

147. « Basically, our goal is to organize the world's information and to make it universally accessible and useful. »

148. Martin Untersinger, « Terrorisme : pour contourner le chiffrement des messages, Bernard Cazeneuve en appelle à l'Europe », lemonde.fr, 23 août 2016.

149. *Cf.* cnnumerique.fr/tribune-chiffrement/.

150. « En s'attaquant au chiffrement contre le terrorisme, on se trompe de cible », lemonde.fr, 22 août 2016.

151. *Cf.* www.heise.de/downloads/18/1/8/7/6/2/5/4/Tribune chiffrementVDE.pdf.

152. Voir www.cypherpunks.to/ et le manifeste « *Cypherno-micon* » (www.cypherpunks.to/faq/cyphernomicron/cypherno-micon.html).

153. Voir le manifeste de la « crypto-anarchie » : www.acti-vism.net/cypherpunk/crypto-anarchy.html.

154. Texte de Wei Dai sur la *b-money* : www.weidai.com/bmoney.txt.

155. Satoshi Nakamoto, « Bitcoin. A peer-to-peer electronic cash system », bitcoin.org/bitcoin.pdf, 2008.

156. Voir le site de l'Éducation nationale : « Numérique à l'école : partenariat entre le ministère de l'Éducation nationale et Microsoft », www.education.gouv.fr.

157. Voir « Référentiel général d'interopérabilité », refe-rences.modernisation.gouv.fr, version 2.0, décembre 2015.

158. Hal Hodson, « Revealed : Google AI has access to huge haul of NHS patient data », *Technology News, New Scientist*, 29 avril 2016 ; www.newscientist.com.

159. California Life Company.

160. Emil Cioran, *Syllogismes de l'amertume*, Paris, Gallimard, « Folio », 1987.

Table

Du même auteur

L'Âme machine
Les enjeux de l'intelligence artificielle
Seuil, « Science ouverte », 1990

L'Intelligence artificielle
Flammarion, 1993

Dictionnaire de l'informatique
et des sciences de l'information
Flammarion, 1998

2001, L'Odyssée de l'esprit
Flammarion, 1999

Gédéon ou Les Aventures extravagantes
d'un expérimentateur en chambre
Le Pommier, 2002

Les Sciences cognitives
Le Pommier, 2006

L'Intelligence artificielle
Le Cavalier bleu, 2007

Voir et pouvoir : qui nous surveille ?
Le Pommier, 2009

Le Mythe de la Singularité
Faut-il craindre l'intelligence artificielle ?
Seuil, « Science ouverte », 2017

Intelligence artificielle : vers une domination programmée ?
Le Cavalier bleu, 2017

RÉALISATION : IGS-CP À L'ISLE-D'ESPAGNAC
IMPRESSION : NORMANDIE ROTO IMPRESSION S.A.S. À LONRAI
DÉPÔT LÉGAL : JUIN 2019 N° 141291 (1901534)
IMPRIMÉ EN FRANCE